D1296882

Sous la direction de

Nycole Paquin

De l'interprétation en arts visuels

La réalisation de cet ouvrage a été rendue possible grâce à des subventions du ministère de la Culture du Québec, du Conseil des Arts du Canada et du Comité des publications de l'UQAM.

Mise en pages : Constance Havard
Maquette de la couverture : Raymond Martin
Illustration de la couverture : Louise Robert, 1994, huile, crayon, papier, 105 cm x 74 cm
Distribution : Diffusion Prologue

Dépôt légal : B.N.Q. et B.N.C., 4e trimestre 1994
ISBN : 2-89031-202-X
Imprimé au Canada

Les Éditions Triptyque
2200, rue Marie-Anne Est
Montréal (Québec)
H2H 1N1
Tél. et téléc. : (514) 597-1666

Sous la direction de

Nycole Paquin

De l'interprétation en arts visuels

Triptyque

Préface

NYCOLE PAQUIN

L'idée de présenter un recueil collectif portant sur l'interprétation des œuvres d'art a commencé à germer peu avant la parution de l'ouvrage d'Umberto Eco *Les limites de l'interprétation* dont le titre désignait très exactement nos préoccupations. Sans modifier nos objectifs, il nous fallait toutefois déjà songer à un nouveau titre. Heureux hasard, puisque le titre actuel représente beaucoup mieux l'ouverture que nous avons accordée à la problématique initiale.

La question de l'interprétation, ses moyens, ses contraintes, ses écueils, ses conditions et ses conséquences, est manifeste d'une conscience, voire d'une *éthique* qui traverse toutes les disciplines attentives au sujet (humain). L'histoire de l'art n'est certes pas exempte de ces problématiques et, sans sacrifier la rigueur, elle s'ajuste à des réalités bien concrètes. Elle axe ses réflexions sur la question délicate de l'interprète, l'artiste, le récepteur, l'analyste et se dote d'outils qui lui permettent de coordonner des optiques parallèles à l'intérieur d'un même champ d'étude, voire d'un même discours.

Elle se demande ce qui se passe et comment ça se passe quand nous visons à interpréter des images. Quels sont les processus cognitifs qui accompagnent et régissent l'interprétation? Quels en sont les agents? Sont-ils eux-mêmes localisés et restreints? Les frontières du discours sur l'œuvre sont-elles tributaires du caractère fini du thème représenté par l'image ou peut-être par la forme de l'objet? Le lieu physique de présentation de l'image cadre-t-il le sens à la fois de l'œuvre et de son espace d'exposition? Ces questions sont traitées (et non résolues) à travers cet ouvrage.

Chacun[1] de nous a choisi d'aborder un point saillant de la problématique générale selon ses propres champs de recherche. La présentation des textes par ordre alphabétique des auteurs accommode notre objectif de ne pas privilégier un corpus ou une position théorique aux dépens des autres. Sans que la disparité des points de vue ne fasse l'objet premier de notre étude, nous ne visions aucunement l'homogénéité théorique. Les différentes manières d'aborder le thème de l'interprétation sont plutôt circonstancielles et résultent du fait que tous les auteurs, professeurs et chargés de cours, enseignent au département d'histoire de l'art de l'UQAM dont le programme des études de premier et de second cycle prévoit des axes parallèles et complémentaires.

Nous remercions Bertrand GERVAIS, professeur au département d'études littéraires, pour avoir accepté de rédiger une introduction où les notions de *compréhension, d'interprétation et d'explication* sont analysées en profondeur à travers différents cadres de références théoriques et méthodologiques. Loin d'être évacués, les rapports entre le sujet et son objet y sont abordés de front dans une visée explicative des risques et des contraintes que connaissent les théories du sujet: «L'interprétation n'est pas un réflexe, un geste automatique, elle est le fruit d'une décision, un acte intentionnel. [...] Interpréter requiert à la fois un prétexte et un contexte.»

Il faudrait reconnaître une logique de l'interprétation selon des règles, voire des contraintes issues de la discipline contextuelle et des objets sélectionnés en vertu de cadres de références particuliers. C'est cet ensemble qui fixe «les lignes de démarcation, les conditions d'apparition et d'exécution de l'interprétation».

Pour l'historien de l'art, il est certain que les cadres de références théoriques et la nature du corpus conditionnent l'interprétation. Cependant, certains auteurs questionnent aussi des paramètres de réception beaucoup larges et plus difficiles à cerner qui concernent tous les sujets susceptibles de regarder une œuvre d'art. Dès que l'expérience esthétique est entendue comme acte de cognition, les cadres de références de l'interprète (non analyste) ne peuvent plus être déterminés selon des critères disciplinaires. Ces auteurs insistent alors sur des processus cognitifs psychologiques, voire neurobiologiques propres à tous les sujets humains à l'intérieur de cadres de références déterminés tout autant par la psyché que par la culture, l'expérience et des connaissances autres que celles de la discipline. Ce qui demeure toutefois régi par des règles bien cernées, c'est l'interprétation des moyens interprétatifs ou encore, «l'interprétation de l'interprétation» des images.

Pour qui s'aventure dans une telle entreprise, et le cas est fréquent dans cet ouvrage, les règles et les objets d'analyses sont redoublés et complexifient l'analyse. Une attention au sujet, artiste et récepteur, à ses moyens interprétatifs incluant autant sa culture que ses désirs profonds, enfin, à tout ce qui constitue le tissu humain, a pour conséquence d'assouplir les cadres méthodologiques, mais en même temps de multiplier les points de repère. S'il y a logique du discours individuel qui trace ses propres bornes, il faut aussi considérer une logique du sujet à côté et sous le discours savant, logique qui est à la fois même et autre que celle de l'analyse disciplinaire.

Tous les textes soulignent explicitement ou implicitement le fait que l'interprétation des œuvres dépend des espaces perceptuels et cognitifs représentés dans les œuvres d'art. Certains argumentent leur hypothèse par des analyses de cas particuliers, d'autres préfèrent citer des exemples puisés à travers l'histoire de l'art. Sans qu'il y ait eu connivence préalable entre les auteurs, il ressort de ce recueil certaines constantes corollaires du thème général. En filigrane, trois thèmes traversent l'ensemble des textes: la pertinence ou l'impertinence de la quête du «modèle»; la cohabitation difficile et ambiguë du visuel et du verbal dans l'acte interprétatif; la conjoncture du lieu de présentation et des espaces de représentation. Cette partition est arbitraire dans la mesure où les auteurs ne font pas nécessairement de ces thèmes le sujet premier de leur réflexion et il serait injuste «d'étiqueter» et de regrouper trop strictement les textes. La présence de ces sous-thèmes laisse néanmoins entendre qu'à travers des préoccupations muséologiques, sociologiques, historiques et sémiotiques, certains points récurrents alimentent la réflexion.

Par ailleurs, l'enchevêtrement des théories et des méthodes démontre assez clairement que la question de l'interprétation traverse tous les points de vue sur tous les corpus anciens ou contemporains. De cet ouvrage, on pourra retenir, entre autres choses, le fait que la notion de *signification* de l'œuvre chère au structuralisme ne soit plus posée comme *a priori*, c'est-à-dire comme sens intégral et absolument autonome de l'œuvre ou comme noyau théorique. Tous les auteurs ne lui accordent pas nécessairement le statut de «conséquence» de l'interprétation, mais tous se demandent comment une œuvre peut être interprétée dans des contextes de réception que chacun des auteurs cadre selon des objectifs précis. C'est bien la notion de cadre de référence qui chapeaute chacune des hypothèses.

Question de synthèse, je me permets de présenter et de commenter très brièvement les textes selon l'ordre de leur présentation dans le volume. Le lecteur saura bien construire des regroupements selon ses propres cadres de références ...

Comment interpréter ce qui n'est pas représenté (ou représentable)? Certains thèmes de figuration, par exemple, la *mort* peut être interprétée, mais jamais représentée en images (il s'agit toujours de la mort de l'autre ou de l'idée du vide de soi) (Rose-Marie ARBOUR). Depuis que l'artiste n'a plus à recourir à quelque banque iconographique ou à obéir à des conventions qui l'obligeaient à représenter la mort «idéalisée» des autres, une mort qui laissait souvent transparaître la vie de l'au-delà, il s'en remet à ses propres mythologies. L'interprétation qu'il se fait et qu'il présente en images subsume un acte cognitif qui le renvoie à une actualité qui est sienne. Chacun, artiste et spectateur, puise maintenant à même ses propres modèles.

Nous sommes ici invités à réfléchir sur le sens de l'interprétation d'un thème qui serait de l'autre côté, en dehors des limites de la représentation, sur «un ensemble de signes, de symboles», de «palimpsestes» portant sur la mort absente de sa propre représentation. Si les modèles interprétatifs abondent, ce qui fait défaut, c'est «le» modèle en représentation, la mort comme telle qui passe par une image arbitrairement incarnée.

Ainsi traitée, la «figuration» de la mort ironise en quelque sorte la quête du modèle, de tout modèle préalable à l'œuvre. Elle en questionne certainement la pertinence. Nous sommes bien à distance des méthodes où la quête de l'origine valide l'interprétation centrée sur la «signification» intrinsèque des œuvres. Un pas de plus, et nous témoignons d'une attitude encore plus radicale selon laquelle l'artiste interprète inévitablement ses modèles de tous ordres, quel que soit le thème à représenter (Holga HAZAN). Ce serait le cas pour toutes les images. Nous nous «trouvons dans un univers (théorique et méthodologique) moins ordonné (que celui de Panofsky) où l'idée de vérité historique se voit remplacée par la nécessité de prendre en considération la subjectivité de tous les individus en contact avec l'art».

Quand l'interprétation ne se donne plus l'origine du modèle comme fin analytique et qu'elle n'endosse plus le leurre de «l'adéquation, de l'équivalence» ou de l'idée de l'œuvre comme «reflet», elle vient de cadrer et de délimiter ses propres objectifs où l'œuvre est considérée comme point de départ et point d'arrivée. Le sujet a la responsabilité de la faire signifier.

Dans un ordre d'idées connexe, l'interprétation de l'œuvre peut-elle ou doit-elle aussi être une interprétation du son lieu de présentation? Ou, à l'inverse, l'interprétation de ce lieu peut-elle et doit-elle mener à l'interprétation de son contenu, c'est-à-dire des œuvres qui y sont exposées? Une «logique combinatoire» permettrait d'engendrer des pistes analytiques et des matériaux qui conduiraient à la démonstration d'une originalité conceptuelle dans l'élaboration de la muséologie (Louise LETOCHA). Comprendre ainsi le musée en tant que «lieu conjoncturel et même conjectural» devrait nous mener à étudier les rapports entre son contenu et les utilisateurs.

Un tel intérêt tripartite (musée, œuvre, utilisateurs) ouvre toute grande la voie à l'analyse des cadres cognitifs parallèles (culturels, perceptuels et esthétiques), plus particulièrement à la question de l'*in situ*.

Dans un lieu donné, «toute œuvre est d'abord un objet *pour soi* [...] et les seules et incontournables limites résideraient dans la nature des points de vue perceptuels que nous adoptons sur les œuvres» (Jocelyne LUPIEN). Des cas marquants en arts visuels font état de la manière dont le sujet percevant «doit transgresser mentalement, à partir de réels stimuli plastiques et conceptuels de l'œuvre, les contraintes de la réalité corporelle humaine». Par exemple, les jeux de trompe-l'œil, d'anamorphose et de formes arcimboldesques multiplient les points de vue sur l'image et nécessitent des accommodations proxémiques virtuelles et factuelles forcément tributaires de l'espace interne et de l'espace externe de l'image.

Doucement, à travers ces textes, on voit se profiler des jointures fructueuses quoique fortuites et encore à l'état d'ébauche entre la muséologie et les questions de perception plurisensorielle. Inclure les utilisateurs du musées, les «sujets», dans un gabarit analytique à vocation muséologique aura pour effet de bousculer notre manière d'analyser et de comprendre les mécanismes d'interprétation des œuvres. En retour, inclure le corps du sujet au processus d'interprétation de l'œuvre aura pour conséquence d'éviter la polarisation du corps propre et du corps social.

Mais comment dire les jointures, comment dire l'objet d'art? Comment sélectionner le «bon mot»? Du point de vue de l'analyse transmise: «l'observateur sélectionnera, à partir de ses critères théoriques ou d'hypothèses de départ, les marqueurs qui formeront la trame de son propre discours» (Jacqueline MATHIEU). Si le discours scientifique détermine une certaine façon de voir l'objet d'étude, il participe de la sélection de ces marqueurs (verbaux).

N'ayons plus peur de la métaphore, «il est peut-être temps d'avouer que c'est notre propre regard qui observe et décrit».

De telles assertions encouragent l'interprétation des mots sur l'image comme lieu symptomatique de la perception même des œuvres. L'interprétation où le «tout voir» ne serait pas du rendez-vous aurait à se formuler avec des mots «ancrés dans la culture». Pour autant qu'elle réclame une intégration inévitable du verbal au visuel, l'hypothèse est peut-être affolante, mais, en revanche, elle oblige à une ouverture de la notion du sujet «percevant».

Si tout ne peut pas être vu, dans le sens de remarqué, tout ne peut pas être dit (Nycole PAQUIN). Interpréter, ce n'est pas nécessairement «parler» et, plus encore, l'expérience esthétique ne peut pas être dite. Elle est accompagnée d'un «trop-plein» que les mots n'arrivent pas bien à désigner. L'indicible ne relève pas d'une incompétence de la part du sujet (artiste ou récepteur), mais résulte d'une inadéquation fondamentale entre le visuel et le verbal dans la cognition. Et pourtant, le langage verbal est là, en présence, dans toutes nos expériences quotidiennes; nous en avons l'habitude et le désir profondément ancrés.

Notre interprétation perceptive non verbale est déjà une «catastrophe» dans le sens d'une rupture au substrat réceptif et à l'objet, une distance essentielle à la cognition et à l'interprétation. Les mots qui ne traduisent jamais le vu engageraient une seconde coupure du sujet à lui-même, une auto-interprétation, un point de conflit (esthétique) générateur de sens, par soi, pour soi, parfois pour les autres.

Dans une visée méthodologique, voire pédagogique, ce discours «pour les autres» et à vocation explicative doit bien être lui aussi construit à même l'objet observé à distance. Il s'agira toujours pour l'analyste «d'établir des relations signifiantes entre les faits, de parler pour eux, de s'en faire l'interprète» (Michel PARADIS). Dans le cas des œuvres produites en série, par exemple la statuaire ancienne, comment faire quand le prototype qui aurait servi de modèle formel et thématique ne peut pas être empiriquement repéré dans la culture? L'analyste doit construire ses propres catégories. Pour lui, comme pour l'artiste, «le modèle ne serait pas autre chose qu'une sorte "d'être théorique" qui s'élaborerait en même temps que le corpus, dans l'intégration des variantes possibles». Ces catégories ne pourraient être définies et cernées qu'*a posteriori* et par abduction à partir des paramètres saillants qui donnent lieu à des représentations et à des images mentales où se constitue le prototype.

Ce n'est plus la culture immédiate de l'observateur, ni les contextes socio-culturels du concepteur d'antan qui peuvent fournir quelque piste sur le prototype de la série conçue par des artistes différents: «les notions d'art et de sources populaires et savantes n'offrent guère de prise critique satisfaisante face au problème des œuvres à caractère sériel dans un espace-temps donné» et il serait «dangereux» d'enfermer les manifestations artistiques dans le «modèle/interprétation du modèle». Le modèle comme signe, nous avons avantage à le «construire *sui generis*».

Toutes les hypothèses concernant les modes interprétatifs des œuvres d'art ne vont certainement pas dans le même sens. Cependant, une fois la question du sujet reconnue comme pertinente, ces divergences de positions permettent d'intégrer au champ de l'étude des arts des manières de voir et de dire que l'on a trop longtemps considérées comme périphériques à la discipline.

Par exemple, «maintenant que l'esthétique et la psychanalyse ne sont plus reléguées hors des champs de la pensée claire sous prétexte qu'elles renverraient à des expériences complexes de l'existence humaine», elles peuvent avoir «partie liée dans l'élaboration de nouvelles théories de l'interprétation des œuvres d'art» (Fernande SAINT-MARTIN). La psychanalyse a fourni les outils adéquats pour comprendre comment l'inconscient s'exprime symboliquement en termes de conflits, et de nombreux artistes qui ont marqué ce siècle se sont identifiés à cette «voie royale» de l'écoute de l'inconscient.

Ces propos devraient nous faire réaliser que la sémiologie psychanalytique n'a jamais abandonné la question du «sujet». Bien au contraire, elle en a fait son premier objet d'investigation. Elle part, entre autres, d'un principe qui établit «une nette distinction entre le contenu sémantique des signifiants verbaux (représentation de mot) et des signifiants factuels (représentation de chose)». Contrairement au réseau des signifiants verbaux, le réseau des signifiants factuels serait «le plus riche et le plus diversifié, [...] le "plus vrai" sans doute, pour autant qu'il véhicule l'expression des conflits et des aspirations les plus profondes du sujet».

Ces aspirations profondes du sujet, l'artiste, le récepteur, l'historien d'art, l'analyste, nous les voyons différemment traitées par les auteurs de ce recueil. Tout n'a pas été dit sur l'interprétation, mais certaines frontières de la perception et du discours ont été tracées en pointillé. Chacun à sa manière a «piqué» un point de la problématique de base.

Nous avons tenté d'en extraire des points forts sans chercher à reprendre ou à proposer quelque «prototype». L'opération était risquée. Nous avons opté pour une présentation fragmentaire et non pour une représentation exhaustive de la question et nous espérons que ce bouillon saura susciter l'intérêt de tous les «sujets» qui se posent des questions semblables aux nôtres.

Note

1 Le masculin est ici utilisé comme générique et intègre le féminin.

Introduction

De quelques enjeux de l'interprétation

BERTRAND GERVAIS

To accept a method of interpretation is to enter into a wager – to gamble, namely, that the insight its assumptions make possible will offset the risk of blindness.
Paul B. Armstrong

Où commence l'interprétation? Quels en sont le seuil, les limites, les enjeux? Ces questions ont commencé à refaire surface, après le hiatus du structuralisme, et les réponses apportées varient du tout au tout, quels que soient les disciplines concernées et les objets envisagés. Si pendant un certain temps l'interprétation a eu mauvaise presse, mise du côté d'une subjectivité qui ne cadrait pas avec les exigences d'objectivité de disciplines en plein développement, elle est réapparue comme un processus inévitable que ces mêmes disciplines doivent maintenant intégrer. Aussi l'intérêt porte-t-il principalement sur l'établissement de ses limites inférieures, de ses prétextes, contextes et modalités fondamentales, de ses rapports à d'autres notions nécessairement voisines, puisque liées à des activités complémentaires ou concomitantes, telles la perception, la compréhension, l'analyse, la critique, etc. On ne dit plus comme avant que l'interprétation est une description dont les paramètres ne sont pas clairs ou définis, qui n'est donc pas contrôlée, et par conséquent falsifiable, ce que l'hégémonie de la description, inscrite par le structuralisme, nous incitait à croire, on tente plutôt de comprendre quelle est la part de subjectivité de toute description, quels sont les moments de risque inscrits dans toute démarche théorique, dans toute connaissance. D'activité suspecte, facile à écarter du fait qu'elle était ancrée dans une conception traditionnelle du sujet, déclaré mort entre autres par Michel Foucault, elle est redevenue centrale avec l'émergence de nouvelles théories du sujet, mais d'un sujet fabriqué de toutes pièces, qui permet de reprendre à zéro, *tabula rasa*, la définition des règles et contraintes de sa pratique.

Nous avons assisté en fait à un retour du balancier. Ce sont les méthodologies complexes et lourdes des descriptions structuralistes qui sont de plus en plus délaissées ou transformées, du fait de la redondance de leurs résultats, de ce principe même de la réitération, recherché pour des besoins de scientificité et qui limite les résultats à des variations sur un thème précis, et c'est l'interprétation qui s'impose à nouveau comme problématique et perspective d'étude et d'analyse, au point où certains philosophes, comme l'Italien Gianni Vattimo, vont même parler de l'interprétation et de l'herméneutique comme d'une nouvelle *koinè*, d'un nouveau langage commun[1]. S'il faut savoir faire la part des choses, il n'en demeure pas moins que l'importance actuelle de la problématique de l'interprétation vient du fait qu'elle permet de poser et de questionner, plutôt que d'évacuer, le rapport existant entre tout sujet et son objet. Et son importance n'est plus limitée aux trois disciplines impliquées traditionnellement par sa pratique, à savoir l'exégèse, l'histoire et le droit, et par la suite la philologie, mais s'étend à toutes les disciplines, que ce soient l'histoire de l'art, la philosophie, la psychanalyse, la théorie littéraire, l'archéologie, l'anthropologie, la médecine, etc. En fait, pour certains, toute discipline, qu'elle se l'avoue ou non, qu'elle provienne des sciences humaines ou des sciences pures, pratique une forme, plus ou moins contrôlée, d'interprétation. Qu'on pense à l'interprétation des données dans les sciences expérimentales, par exemple. Les mesures de leurs instruments n'existent en tant que telles que si elles s'inscrivent dans un modèle quelconque, dans un système de signification qui les interprète et leur donne un sens. Un résultat ne devient signifiant qu'en tant qu'il répond à une attente, qui est inscrite, soit à même les instruments d'analyse qui permettent de l'obtenir, soit dans le protocole d'interprétation qui a pour but de le traduire en fait, ce qui rejoint les principales propositions des herméneutiques contemporaines, quant à la définition des horizons d'attente, par exemple, chers à H. G. Gadamer. Pour de nombreux chercheurs donc, réactualiser et réfléchir sur l'interprétation, c'est réinscrire la subjectivité comme modalité fondamentale de la connaissance, c'est réévaluer les formes de l'objectivité et de la scientificité, si par ces deux derniers principes on entend la possibilité d'exclure ou de faire abstraction du sujet percevant et de ses déterminations, dans la description d'un objet. Réfléchir sur l'interprétation, c'est aussi poser un monde qui n'est plus transparent mais opaque, un monde qui ne se laisse pas décrire comme un phénomène simple et assuré, s'imposant d'emblée, mais qui demande d'être traduit, expliqué, éclairci, démêlé, interprété. Un monde qu'on ne perçoit jamais de façon directe, mais plutôt de façon médiate, indirecte, par le biais de filtres, qui sont le langage, nos préjugés et préconceptions, un monde qui pour certains ne se présente que par des versions[2], ou pour d'autres, des textes, qu'il faut toujours ou qui sont toujours déjà interprétés.

J'aimerais partir du principe, pour cette introduction, que l'interprétation est avant tout une activité sémiotique, proposition qui n'est pas en soi très controversée et que je scinderai en deux sous-propositions, elles aussi fort simples: 1° que l'interprétation est un acte sémiotique et 2° qu'elle est une action complexe. Je développerai ces points, d'une part, en établissant ce qui distingue l'interprétation de la compréhension et, d'autre part, en proposant une définition qui rend compte de ses principales variables et de ses conditions d'apparition.

Il sera par ailleurs beaucoup question de textes, dans cet exposé, comme s'ils étaient la référence obligée en pensant l'interprétation. Cela s'explique avant tout du fait que les disciplines où ont eu lieu les principales réflexions ont toutes le texte pour objet: herméneutique, critique littéraire, droit. Il est clair pourtant que l'objet de départ d'une interprétation n'a pas à être un texte; ce peut être tout produit culturel, tout objet d'art et même, pour certains, tout objet du monde, une maison par exemple. Cependant, si tout peut donner lieu à une interprétation, l'objet d'arrivée, lui, est presque nécessairement un texte, à moins d'une application particulière qui ferait qu'une œuvre d'art serait l'interprétation d'une autre (et même là, on pourrait argumenter qu'il y a eu texte entre les deux). Interpréter, c'est mettre en texte, c'est traduire et, dans bien des cas, tenir un discours sur quelque chose. Le terme d'interprétation est l'objet de nombreux usages. Dans le langage courant, il est utilisé souvent pour rendre compte de la subjectivité d'une assertion («c'est votre interprétation des faits»); on s'en sert aussi pour parler de l'exécution artistique, en musique ou au théâtre, ou encore, en logique et en mathématiques, pour rendre compte d'opérations sémantiques formelles; et il apparaît en critique littéraire et d'art où il recouvre une situation d'analyse et d'étude d'une œuvre quelconque[3]. C'est à cette dernière acception surtout que je m'arrêterai ici, en partant tout de même de ce qui est commun à toutes, à savoir qu'il s'agit toujours d'une mise en relation.

Un acte sémiotique

L'interprétation est avant tout manipulation de signes ou encore, d'une façon plus large, de quelque chose en tant que signe, que ce soit une marque, une image, ou tout autre objet. C'est donc la manipulation de quelque chose en tant qu'il renvoie à quelque chose d'autre. Il s'agit là de la définition traditionnelle du signe, telle qu'on la retrouve depuis le Moyen Âge (*«aliquid stat pro aliquo»*), dans des versions à la fois dyadiques et triadiques (comme chez C. S. Peirce). Et pour l'interprétation, l'élément important de cette définition est la locution conjonctive. Le *ceci-en-tant-que-cela*, c'est la correspondance, la mise en relation de deux éléments, réunis soit par principe d'équivalence, soit par principe d'implication. L'objet initial n'est pas pris en soi et pour soi, mais en tant qu'il peut être mis en relation avec autre chose. L'interprétation, c'est le postulat de liens ou de correspondances qui ne sont pas perceptibles, mais dont on infère l'existence pour donner à l'objet initial sa raison d'être, sa pertinence.

L'exemple que donne Graeme Nicholson, un philosophe heideggerien, est intéressant à ce niveau. Dans *Seeing and Reading*[4], il parle de deux types d'interprétation. Une interprétation explicite, qu'il nomme *«foreground interpretation»*, et qui est une activité consciente, voulue, recherchée; et une interprétation implicite, ou *«background interpretation»*, qui est, elle, inconsciente, automatique, quotidienne, etc. L'explicite est l'interprétation comme pratique disciplinaire, l'implicite est une forme généralisée et fondamentale d'interprétation. La thèse de Nicholson est qu'on ne fait qu'interpréter et que même nos perceptions sont des interprétations. Le monde n'existe pour nous qu'à travers les versions qu'on en donne. L'exemple qu'il fournit est celui d'un homme qui a pris le train, qui a passé son temps à lire un livre, et qui, comme son train s'approche de sa destination, Rome, commence à regarder par la fenêtre et reconnaît certaines maisons, en banlieue de la ville et de la gare. Une maison, surtout, lui annonce qu'il ne reste plus que quelques minutes avant l'arrivée en gare. Le passager, on pourrait toujours l'appeler Léon Delmont..., a donc pris la maison comme un indicateur de distance et de temps. Il a établi une correspondance, un lien, un *en-tant-que*, entre son projet, se rendre à Rome, et cette maison, qui en soi n'est l'indicateur de rien — elle est là, elle a sa propre fonctionnalité, qui ne dépend nullement des rails du chemin de fer. Il y a eu une interprétation, l'établissement d'une correspondance, qui a été faite au niveau même des perceptions visuelles de l'homme. Pour Nicholson, cet exemple est représentatif de tout comportement humain: il n'y a pas de perception pure, désincarnée, détachée de tout projet ou projection, de perception qui ne soit pas déjà une interprétation. On ne voit les choses, le monde qu'en fonction de nos projets, nos intentions, nos désirs, ou encore nos préconceptions, nos préjugés, nos situations. Une fois que nous sommes jetés dans le monde, c'est une réalité heideggerienne, nous ne pouvons plus nous en sortir. Nous sommes là, fixés à nos situations et à leur devenir, et c'est en fonction d'elles que nous percevons et interprétons (deux opérations simultanées pour Nicholson) le monde. S'il en va ainsi avec l'interprétation implicite, il en va nécessairement de même avec l'interprétation explicite. Elle aussi procède de correspondances établies entre un texte ou un objet donnés et un autre texte ou un concept.

Un des problèmes avec une telle conception de l'interprétation est que tout et rien finissent par en faire partie; l'acte n'a plus de spécificité, une conséquence similaire à certaines sémiotiques plutôt généreuses, qui transforment tout en signe et se présentent comme des métaphysiques. On retrouve une même portée exagérément large avec des notions comme celles de lecture (qui va de l'exégèse aux techniques de lecture rapide, par exemple) ou d'inférences. Tout peut donner lieu ou être décrit comme étant une inférence, depuis les ratiocinations de Sherlock Holmes jusqu'aux identifications sommaires et quasi spontanées que nous effectuons au quotidien et qui nous permettent de nous comprendre sans avoir à tout expliciter (apports des scripts ou scénarios ou *frames*, etc.). On a avantage à séparer les véritables inférences, qui demandent un effort, une abduction par exemple, des automatismes cognitifs, identifiés en psychologie cognitive, et qui sont aussi des inférences, mais d'un niveau inférieur et qui ne demandent pas d'effort. De la même façon, on aurait avantage à séparer les véritables interprétations, qui procèdent d'une discipline et d'une pratique, des interprétations implicites, automatiques, qui sont à mettre pour les unes au rang des perceptions et, pour les autres, de nos activités de compréhension. L'interprétation n'est pas une opération simple, un geste de base de notre quotidien, mais une action complexe, se produisant en contexte, et selon des finalités bien précises. En d'autres mots, ce n'est pas parce que l'interprétation est une mise en relation de deux éléments, ou d'un premier sens et d'un second, que toute mise en relation est une interprétation.

Comprendre et interpréter

Il faut dire que la tendance est depuis longtemps, en herméneutique du moins, à identifier compréhension et interprétation. Cette quasi-équivalence, on la trouve formulée dernièrement chez Paul Ricœur, et on peut en retrouver les traces de F.D.E. Schleiermacher et Wilhelm Dilthey à Hans-Georg Gadamer. En fait, la tradition herméneutique a toujours étroitement associé compréhension et interprétation, les deux étant conçues comme les faces différentes d'une même réalité. Dès les développements de l'herméneutique moderne, avec Schleiermacher, puis Dilthey, tout comme dans ses réévaluations plus récentes chez Gadamer ou encore Ricœur, les deux notions restent dans «une fusion intime[5]». Interpréter, c'est comprendre, ou encore c'est, pour citer une définition simple et directe de Jean Grondin, «rendre compréhensible un sens étranger ou ressenti comme tel. Par définition, un sens évident n'a pas besoin d'une interprétation[6].»

Schleiermacher, par exemple, dans son travail critique de théorisation et de généralisation de l'herméneutique[7], la transformant d'un ensemble de pratiques régionales, méthodes enseignées depuis des siècles dans les universités protestantes, en une philosophie ou une méthodologie générale d'interprétation, ne distinguait pas la compréhension de l'interprétation, l'une étant la définition de l'autre. Et c'est bien ce qu'avait vu Gadamer: «L'interprétation n'est donc pas un acte qui peut occasionnellement s'ajouter à la compréhension: comprendre, c'est toujours interpréter; en conséquence l'interprétation est la forme explicite de la compréhension[8].»

Cette fusion de l'interprétation et de la compréhension est d'autant plus forte que le couple s'oppose à un autre terme, celui d'explication. L'antinomie entre comprendre et expliquer, héritée de Dilthey, permet d'amalgamer les gestes complémentaires de la compréhension et de l'interprétation, puisqu'elle les inscrit dans un même domaine. J'aimerais rendre compte brièvement de cette opposition, d'une part parce que sa reprise par Ricœur a ceci d'étonnant qu'il l'adapte aux exigences de nouvelles disciplines, dont la sémiotique, sans pour autant en modifier en substance les relations et, d'autre part, parce que cette triade notionnelle connaît, dans le giron du cognitivisme, une autre actualisation, qui modifie les relations du tout au tout. Le rôle de l'interprétation varie, en fait, selon qu'elle est définie *en fonction de* ou *en opposition à* la compréhension.

Dilthey est le second, après Schleiermacher, à avoir marqué les développements de l'herméneutique moderne. Cherchant à revaloriser les sciences humaines, à en faire une discipline tout aussi élaborée et complexe que les sciences de la nature, sans pour autant leur être subordonnée, il attribue à chacune de ces sciences des modes de connaissance distincts. Les sciences de la nature se développant en fonction du positivisme, de la connaissance expérimentale, il va doter les sciences de l'esprit d'une méthodologie et d'une épistémologie tout aussi respectables, influencées par les développements de l'historicisme. Et la pierre de touche de son entreprise sera la distinction entre expliquer et comprendre, le premier étant du côté des sciences de la nature, le second, du côté des sciences de l'esprit. L'être humain et l'empathie que nous pouvons ressentir à son égard est le facteur discriminant. L'acte de comprendre se fonde sur la capacité de l'être humain à se transposer dans la vie psychique d'autrui, à travers les signes qu'il émet, ce qui est impossible dans la connaissance naturelle, qui est constituée de phénomènes distincts de l'homme. Dira Ricœur: «Dans l'ordre humain (...), l'homme connaît l'homme; aussi étranger que l'autre homme nous soit, il n'est pas un étranger au sens où la chose physique inconnaissable peut l'être. La différence de statut entre la chose naturelle et l'esprit commande donc la différence de statut entre expliquer et comprendre[9].» Les deux termes désignent donc des sphères de la réalité qu'ils ont pour fonction de départager: ou bien on explique à la manière d'un savant naturaliste, ou bien on comprend à la manière de l'historien ou de l'humaniste[10]. Le rapport entre comprendre et interpréter maintenant se construit sur cette distinction première:

> «Nous appelons compréhension, dit [Dilthey] dans le fameux article de 1900 sur l'origine de l'herméneutique, le processus par lequel nous connaissons quelque chose de psychique à l'aide de signes sensibles qui en sont la manifestation.» (p. 320) C'est de cette compréhension que l'interprétation est une province particulière. [...] Dans ce couple comprendre-interpréter, la compréhension fournit le fondement, à savoir la connaissance par signes du psychisme étranger, l'interprétation apporte le degré d'objectivation, grâce à la fixation et la conservation que l'écriture confère aux signes[11].

Sur l'horizon général de l'opposition avec l'explication, la compréhension et l'interprétation apparaissent ainsi comme des activités complémentaires, où la seconde est une objectivation des possibilités de la première, beaucoup plus psychologique et intuitive. Ricœur, maintenant, va se saisir de cette antinomie et la faire jouer sur un mode mineur, amenant du côté même des sciences humaines la tâche de l'explication. Il ne va plus les opposer, mais les enchaîner comme des aspects particuliers d'un même processus, celui de l'interprétation, mais une interprétation redéfinie, repensée en fonction du développement de la sémiotique et de la linguistique. Ce qu'il y a entre Dilthey et Ricœur, et ce qui ne se faisait pas sentir de la même façon chez Gadamer, c'est la notion de texte. Une notion de texte héritée du structuralisme, de la sémiotique, des avancées de la linguistique depuis le milieu des années 50. Un texte qui est établi comme objet d'investigation autonome et suffisant, dont la signification n'est plus redevable uniquement de l'intention de l'auteur, mais qui peut être décrit en fonction d'unités textuelles: fonctions, mythèmes, processus, etc.; un texte autour duquel s'est développé un corps disciplinaire qui ne pratique pas une interprétation subjective, mais au contraire, et tout à l'image des sciences de la nature, une explication objective, qui est le résultat de critères et de paramètres précis[12].

Les développements de la sémiotique fournissent à Ricœur en fait les éléments pour proposer une explication qui est spécifique aux sciences humaines, intégrée au texte, qui est du même côté que l'interprétation. Explication et interprétation ne sont plus les termes d'une antinomie, mais deux perspectives d'approche du texte aux fonctions complémentaires: l'explication étant l'analyse structurale, une interprétation objective, par conséquent, qui consiste à dégager les structures internes de l'œuvre, ses propriétés intrinsèques, sa structure profonde, à rendre compte de l'acte *du* texte; tandis que l'interprétation proprement dite, complémentaire à cette première étape, est acte *sur* le texte, appropriation nécessairement subjective par laquelle l'œuvre s'actualise pleinement. Des activités complémentaires et non plus opposées.

> Si au contraire on tient l'analyse structurale pour une étape — et une étape nécessaire — entre une interprétation naïve et une interprétation critique, entre une interprétation en surface et une interprétation en profondeur, alors il apparaît possible de replacer *l'explication et l'interprétation* sur un unique arc herméneutique et d'intégrer les attitudes opposées *de l'explication et de la compréhension* dans une conception globale de la lecture comme reprise du sens[13].

Et cette dernière citation de Ricœur est indicative non seulement du déplacement qui est opéré au niveau de l'explication, ramenée sur l'arc herméneutique (annonciateur de la triple mimésis de *Temps et récit*), mais de la quasi-équivalence entre interprétation et compréhension, qui permet de les intervertir à tout moment.

Pourquoi, maintenant, ce détour par Ricœur et Dilthey? C'est que le portrait des relations de la compréhension et de l'interprétation que l'herméneutique promeut, malgré quelques ajustements aux disciplines modernes — ce rapprochement que lui font subir les propositions de Ricœur par leur prise en compte des avancées du structuralisme et de ses possibilités d'explication des phénomènes culturels ou humains —, continue à s'opposer au portrait qui s'est développé et en quelque sorte imposé depuis le structuralisme, à l'abri justement des hypothèses et modèles de l'herméneutique.

Dans des disciplines comme la science cognitive et les sémiotiques qui s'en inspirent, le concept de compréhension qui y est exploité ne doit plus rien à l'interprétation. Il n'est plus défini en fonction d'elle, et c'est peut-être même le contraire qui se passe. Associée à des notions d'intelligence (naturelle ou artificielle), de connaissance, de représentation, soumise à des développements théoriques distincts, la compréhension est devenue un objet d'investigation autonome, imposant ses propres problématiques, sa logique. De par sa nature synthétique plutôt qu'analytique, l'interprétation n'en fait pas partie, procédant d'un processus plutôt symbolique que cognitif[14]. L'interprétation n'y est plus le terme régissant, comme en herméneutique; au contraire, elle est devenue une opération ultérieure, complémentaire, qui est définie en regard des processus cognitifs initialement circonscrits, et comme contrepoint nécessaire à leurs insuffisances. Si, en herméneutique, interpréter, c'est comprendre, en dehors de son sillage, interpréter devient nécessaire quand on ne comprend pas (ou pas assez). L'interprétation prend la relève quand la compréhension ne suffit plus. On se retrouve en fait avec une hiérarchie inversée: ce n'est plus l'explication qui s'oppose au couple compréhension et interprétation (E *vs* I/C), hérité de Dilthey; c'est cette dernière qui s'oppose (E/C *vs* I) au couple nouvellement formé de l'explication et de la compréhension, liées par une démarche qui fait de la compréhension l'objet de l'explication et, de l'explication, une façon de faire comprendre.

La faible place laissée à l'interprétation est peut-être due au fait que les objets approchés dans ces disciplines (science et psychologie cognitives surtout) sont souvent très simples, des formes simples et des couleurs primaires, ou des textes courts et sans grande ambiguïté, ce qui rend l'interprétation superflue, un sens évident n'en ayant pas besoin; mais aussi au fait que ce qui est recherché est le seuil de la compréhension et qu'à cet égard l'interprétation n'a plus vraiment sa place, à moins d'être envisagée à son tour du point de vue de ses limites inférieures, de ce seuil qui en régirait l'apparition. Ricœur avait bien compris, quand il déplaça l'explication du côté des sciences humaines, l'inscrivant comme partie essentielle de son arc herméneutique, que cette nouvelle proximité ne pouvait que transformer sa conception de l'interprétation, que celle-ci ne pouvait rester intacte, ce qui l'entraîna, entre autres, du côté de la sémiosis de C.S. Peirce[15]. De la même façon, on ne peut garder intactes les conceptions de l'interprétation dégagées dans la tradition herméneutique, dans une recherche d'inspiration cognitiviste ou sémiotique, les conceptions de la compréhension qui s'y sont développées obligeant à réajuster les définitions, à les re-déployer selon de nouvelles contraintes, de nouveaux seuils. Comment définir une interprétation sans passer par une compréhension qui ne lui est plus subordonnée conceptuellement? Comment penser une interprétation qui ne soit plus une nécessité, comme en herméneutique où elle est toujours déjà présente, en acte dès nos premières perceptions, mais un privilège, une pratique apprise, réglée, évaluée?

Une action complexe

L'interprétation n'est pas un geste simple, unique, instantané, mais au contraire une opération complexe, une démarche dotée d'un mode d'accomplissement précis, dont le déroulement est réglé selon des pratiques et des stratégies conventionnellement acceptées. Ce n'est donc pas un processus monolithique, se déroulant toujours de la même façon et que l'on peut évaluer de façon unique, mais une activité complexe soumise à de nombreuses variables, qui requiert par conséquent à la fois des conditions d'apparition et de satisfaction, des prétextes, un contexte, etc. Selon une telle perspective, l'interprétation n'est pas un réflexe, un geste automatique, elle est le fruit d'une décision, un acte intentionnel. Mais comment se prend la décision d'interpréter?

Interpréter requiert à la fois un prétexte et un contexte. Un prétexte, soit un objet d'art ou un texte dont la signification, le sens premier ne semblent pas pertinents ou appropriés et qui appellent la recherche d'un sens second, dérivé, implicite; et un contexte, qui favorise la recherche d'un tel sens second. Ces deux conditions peuvent se résumer en un très général principe de pertinence, que T. Todorov avait commencé à dégager dans *Symbolisme et interprétation*[16]. Ce principe de pertinence, qui s'apparente au principe de coopération de H.P. Grice[17], repose sur l'idée toute simple que «si un discours existe, il doit bien y avoir une raison à cela[18]». Un discours ou une énonciation quelconque doivent correspondre aux contextes de leur énonciation et, par conséquent, répondre aux attentes présentes pour une situation donnée. L'application de ce principe de pertinence sert d'amorce à l'interprétation. Quand il est respecté, il n'y a pas à avoir d'interprétation; c'est quand il ne l'est pas qu'elle apparaît: «quand à première vue un discours particulier n'obéit pas à ce principe, la réaction spontanée du récepteur est de chercher si par une manipulation particulière, ledit discours ne pourrait pas révéler sa pertinence[19]». Et, pour Todorov, cette manipulation est une interprétation. Il y a interprétation quand une attente (contexte) n'est pas respectée (prétexte), quand l'écart entre ce qui est attendu et ce qui survient est trop grand et qu'il se remarque explicitement comme différence, signe d'une étrangeté, manifestation d'une altérité. Cette différence se remarque, pour Todorov, à deux niveaux: en fonction d'indices syntagmatiques, dans des surplus ou des manques de sens (contradictions, discontinuités, invraisemblances), et d'indices paradigmatiques, qui relient les énoncés présents à l'encyclopédie en jeu (Todorov parle de mémoire collective d'une société, mais on peut facilement lui substituer cette notion d'Umberto Eco). Soit dit en passant, dans cette perspective, l'exemple du voyageur et de la maison à quelques minutes de Rome, de Nicholson, n'est pas un cas d'interprétation car sa présence le long des rails ne déroge pas au principe de pertinence, si tant est qu'on puisse parler de l'application d'un tel principe avec une maison, qui n'est pas un énoncé, du moins par rapport à la gare. La présence continue de la maison, d'un voyage à l'autre, répond exactement aux attentes du voyageur, qui ne devrait donc pas y voir prétexte à un travail inférentiel supplémentaire (à celui qui a consisté initialement à identifier la maison avec une durée). En fait, si la maison avait brûlé, si elle avait été démolie ou repeinte d'une couleur ayant une signification spéciale pour le voyageur, peut-être y aurait-il eu interprétation. Il aurait donc fallu quelque chose de différent, de nouveau, d'inhabituel (un prétexte) et encore un voyageur dans un état d'esprit incitant la recherche de significations nouvelles, un voyageur pressé de trouver une justification à ce qu'il ne comprend pas (un contexte).

Ce principe de pertinence de Todorov repose sur deux prémisses qu'il est intéressant d'expliciter. Puisque l'interprétation survient quand un sujet est confronté à quelque chose de nouveau ou d'étranger, qui ne répond pas immédiatement à ses attentes, Todorov va dire qu'elle ressemble au processus psychique, tel que décrit par Piaget, de l'accommodation et de l'assimilation. L'accommodation est l'adaptation de nos schèmes anciens à l'objet nouveau, tandis que l'assimilation est l'adaptation du fait ou de l'objet nouveau aux schèmes anciens. Pour Todorov, l'interprétation respecte, mais de façon linéaire, ces deux aspects du processus. L'accommodation comprend la perception même de la différence de l'objet ou du discours, la reconnaissance de sa nouveauté et du fait qu'il ne se comprend pas, qu'il ne s'intègre pas dans les schèmes anciens (qu'on peut représenter comme la culture, la tradition ou l'horizon d'attente, l'encyclopédie, etc.). L'assimilation indique la résorption de cette nouveauté, par l'interprétation. Un déroulement interprétatif en deux temps: reconnaissance d'une incompatibilité entre sens premier ou littéral et contexte de réception; puis établissement d'une relation entre ce sens premier et un sens second, qui résout l'incompatibilité. On trouve dans la notion d'assimilation, telle qu'interprétée par Todorov d'une façon toute simple, ce qu'on désigne dans la tradition herméneutique comme l'appropriation, qui consiste justement à rendre propre ce qui est étranger, à rapprocher, rendre contemporain et semblable. S'approprier, c'est faire sien. Cela s'oppose à la distanciation qui est, elle, reconnaissance de la distance culturelle et temporelle (de l'ordre donc de l'accommodation). L'emprunt à Piaget se fait bien et semble d'une grande logique du fait qu'il repose sur un lit déjà tracé, dont il réactualise dans un langage différent les idées maîtresses.

La seconde prémisse de Todorov est l'adéquation posée entre interprétation et le passage *d'un sens premier à un sens second*. Cette adéquation est fondamentale à toute conception de l'interprétation et l'architecture de sens qu'elle dessine se retrouve dans la plupart des définitions. Elle en est la grande régularité. La même relation s'y retrouve, en effet, que ce soit sous la forme du rapport entre un sens premier et second, ou littéral et implicite, apparent et caché, direct et indirect, dénoté et connoté, etc. Les définitions de l'interprétation de Ricœur par exemple, suivant de près la tradition herméneutique, vont toujours dans ce sens: «L'interprétation se réfère à une structure intentionnelle du second degré qui suppose qu'un premier sens est constitué où quelque chose est visé à titre premier, mais où ce quelque chose renvoie à autre chose qui n'est visé que par lui[20].» Et ses définitions sont toujours liées à la notion de symbole, ce à quoi Todorov opine, affirmant lui aussi la «solidarité du symbolique et de l'interprétation[21]».

D'un sens premier à un sens second, le problème est de savoir comment se réalise cet appel. De façon précise et contrôlée, ou de n'importe quelle façon? Quelles sont les règles qui relient le littéral et l'implicite? Qu'est-ce qui amène ou peut empêcher un sujet à sur-interpréter? Les derniers développements théoriques d'Umberto Eco, dans *Les limites de l'interprétation*[22], portent justement sur les habitudes interprétatives et les règles utilisées pour établir ces correspondances[23]. Deux modes d'interprétation sont identifiés, l'un hérité de la tradition aristotélicienne, de la logique et de ses règles et principes (principes d'identité, de non-contradiction, du tiers exclus), qui guident de façon ferme l'interprétation; l'autre hérité de la tradition hermétique, et par conséquent du corpus hermeticum (les écrits d'Hermès Trismégiste) et qui est une dérive interprétative, fondée sur une logique de l'association, de l'arbitraire, du tout est possible. L'exemple que donne Eco de cette dérive interprétative concerne les pouvoirs de l'orchis sur l'appareil génital masculin, attribués en raison de la forme sphéroïdale de ses deux bulbes, qui les fait ressembler à des testicules. L'attribution de cette propriété dépend d'une analogie morphologique, devenue fonctionnelle. Or, l'orchis n'a pas deux bulbes, co-présents, mais un second bulbe qui croît à côté du premier, pendant que celui-ci se flétrit et se fait remplacer par le second[24]. La correspondance est donc établie sur des bases incertaines, sur une ressemblance qui ne tient pas à une inspection le moindrement sérieuse, mais dont le contexte de sa pratique vient garantir la pertinence, comme si tout pouvait servir à justifier n'importe quoi. Dans un autre contexte, George Steiner expliquait récemment que comme il n'existe aucun mécanisme langagier intrinsèque qui nous contraigne à dire la vérité, parce que nos langues sont libres de toute attache, du fait de l'arbitraire du signe, de l'absence d'une relation motivée entre les mots et le monde, n'importe quoi pouvait être dit ou écrit au sujet de n'importe quoi[25]. Or, et on comprend pourquoi cela peut irriter Eco, la même situation prévaut avec l'interprétation. Comme il n'y a aucun mécanisme logique ou herméneutique qui nous contraigne à interpréter de la bonne façon, comme le sens premier est libre de s'associer à tout sens second, n'importe quoi peut être interprété de n'importe quelle façon, depuis la présence des anges dans nos vies jusqu'à celle des extraterrestres dans la Bible. C'est aux communautés où surviennent ces interprétations de voir à leur justesse, de valider ou non ce qui est dit.

Ce que ce passage assez rapide par Ricœur, Todorov et Eco nous apprend, c'est que l'interprétation est: une mise en relation (une correspondance), survenant en contexte, déclenchée par un prétexte et réalisée à partir de certaines règles, dont rien en soi ne garantit le respect ou encore la validité. Une telle définition semble bien couvrir l'ensemble des situations de même que des conceptions de l'interprétation, reprenant des composantes des principales définitions qui ont été proposées. Son intérêt vient non pas du fait qu'elle prescrive un art de l'interprétation, mais qu'elle décrive en quelque sorte les variables à la base de tout processus interprétatif[26]. Elle ne règle rien, ne permet pas de décider ce qu'est une bonne ou une mauvaise interprétation, ni même d'en faire une, mais de comprendre ce qui est en jeu quand une telle décision est prise.

Pour donner un exemple simple de situation d'interprétation, nous pouvons prendre les réactions au personnage de Chance dans le roman de Jerzy Kosinski ou encore le film d'Al Ashby, *Being There*[27]. Chance est ce simple d'esprit ne connaissant rien d'autre que l'horticulture qu'il pratique depuis son enfance et la télévision qu'il écoute d'une façon maniaque, et qui est jeté par accident dans le monde de la haute finance américaine. Associé à un riche financier qui le prend sous son aile et qui lui fait rencontrer diplomates et politiciens, il passe pour ce qu'il n'est pas, à savoir un riche américain un peu original dont le discours étonne, puisqu'il ne parle jamais que de fleurs et de jardinage, ce qui ne l'empêche pas d'être pris au sérieux. Il finit même par rencontrer le président des États-Unis, qui lui demande son avis sur la situation économique américaine plutôt morose: «*What do you think about the bad season on the Street*[28]*?*» Il est question évidemment de Wall Street et de la récession dont il faut endiguer les effets. Chance, qui ne comprend rien à l'économie, n'a qu'une seule réponse, qui est toujours la même: «*In a garden, growth has its season. There are spring and summer, but there are also fall and winter. And then spring and summer again. As long as the roots are not severed, all is well and all will be well*[29].» C'est la logique du jardinier. Le président, pourtant, ne prend pas ce discours au pied de la lettre. Il l'interprète tout aussitôt comme un discours rafraîchissant et optimiste sur la société, les rapports entre les systèmes économiques et la nature. Ce que Chance a dit n'est pas pris littéralement, mais traduit en un nouveau discours, redevenu pertinent à la situation: «*We welcome the inevitable seasons of nature, yet we are upset by the seasons of our economy! How foolish of us*[30]*!*» Et le président de repartir avec une nouvelle politique économique, qu'il s'empressera de diffuser à la nation. Une interprétation a donc eu lieu, qui a mis en relation un premier discours avec un second, un sens littéral avec un sens caché, des propos sur la vie des plantes transformés en traité sur les fluctuations économiques; interprétation qui a été faite en fonction d'une règle de correspondance (ce qui est dit s'applique à l'économie), inscrite à même le contexte, étroit, d'une réunion sur l'économie, et large, d'une récession économique, forçant la recherche de solutions; et qui est initiée par un prétexte, un discours initialement ambigu et dont la pertinence n'est pas immédiatement perçue.

Dans cet exemple, le contexte est un exercice financier désastreux, qui incite à trouver des solutions, à aller au-delà des significations littérales, mais il peut être tout aussi bien une discipline universitaire qui fait de l'interprétation une de ses modalités. Le contexte rend compte, en fait, à la fois de la situation concrète dans laquelle se trouve le sujet et qui l'influence dans ses actions, et des savoirs qu'il a à sa disposition pour naviguer à travers ces situations. Le même discours de Chance, énoncé dans de tout autres circonstances, pourra ne pas être interprété, être compris littéralement par exemple et perçu comme le symptôme de défaillances psychologiques (ce que nous faisons en lisant le roman, reconnaissant en Chance un simple d'esprit; ce que fait aussi le médecin dans la version cinématographique). Le prétexte est ici un discours dont la pertinence globale, plutôt que locale, est défaillante; mais ailleurs, ce seront des passages ambigus, des jeux de couleurs ou de formes, qui attireront l'attention et se manifesteront comme écart par rapport à une norme, cette dernière n'étant pas immuable, mais variable.

La définition de l'interprétation comme relation réglée, faite en situation et initiée par un prétexte, repose évidemment sur le présupposé, souvent décrit comme pluraliste plutôt que moniste, qu'il n'y a pas qu'une seule interprétation possible pour un objet donné mais que celles-ci varient selon les contextes ou, si l'on veut, les cadres de référence impliqués. Parmi ces cadres, il peut s'en trouver un qui implique l'exclusivité de sa procédure, qui stipule que seules ses interprétations sont justes, mais cela ne change rien à la possibilité que de nombreuses interprétations surviennent pour un objet donné, et qu'elles puissent être en compétition. L'hypothèse des cadres de référence de Nelson Goodman, en tant que savoirs et systèmes de description à la base d'actes de compréhension et d'interprétation, permet d'expliquer la multiplicité des interprétations. Le concept rejoint, d'une part, certains autres concepts utilisés en sémiotique et en théorie littéraire. Que ce soient le concept d'encyclopédie, proposé par Umberto Eco, les concepts de répertoire et d'horizon d'attente, utilisés en esthétique de la réception, de système de croyances de Hobbs, de contexte de description de Louis Quéré[31] ou même de province de savoir définie par Alfred Schütz[32], ils servent tous à rendre compte des savoirs mis en jeu et départageant différentes interprétations. L'idée de communautés interprétatives proposée par Stanley Fish respecte de la même façon ce principe. Celles-ci sont constituées non pas tant comme «un ensemble d'individus qui partagent un même point de vue, mais un point de vue, ou une façon d'organiser des expériences, qui départage des individus[33]». Or, qu'est-ce qu'un cadre de référence, sinon une façon d'organiser des expériences? Si donc, pour un même objet, diverses interprétations sont possibles, c'est parce qu'il peut être saisi par de multiples communautés interprétatives s'opposant sur la façon de le saisir et de l'interpréter. Le même objet peut être passé au crible de cadres de référence distincts; en fait, les communautés interprétatives se départagent entre elles par les cadres de référence qu'elles ont adoptés et les choix qu'ils les forcent à faire[34]. Les différents personnages de *Being There*, qui prennent Chance pour un financier et interprètent ses propos comme de sages conseils sur les finances publiques, participent ainsi de la même communauté interprétative.

Le concept permet aussi, d'autre part, de saisir l'inter-relation des variables de la définition proposée. Ainsi, les règles de correspondance permettant les mises en relation dépendent pour leur définition des cadres de référence mis en jeu par le contexte de l'interprétation; les deux modes d'interprétation comparés par Eco, l'un logique, l'autre hermétique, reposent sur des épistémologies opposées qui permettent ou non certaines opérations ou relations (tiers exclu ou inclus). De la même façon, le résultat de l'interprétation, le sens second relié au premier, est déterminé par les savoirs interpellés et les cadres de référence qu'ils constituent. Quant au prétexte, c'est un texte ou un objet d'art dont un des aspects a échappé à la compréhension qui, elle-même, n'est possible qu'en fonction de savoirs ou cadres de référence.

L'idée d'un prétexte à l'interprétation permet donc de réintroduire la compréhension dans le paysage. Ce n'est pas n'importe quel texte ou objet d'art qui est sujet à une interprétation, mais un texte ou objet d'art qui a été une première fois saisi et identifié, qui est déjà *compris*. Un texte ou objet d'art qui est le résultat d'un premier acte de compréhension et sur lequel pourra être par la suite effectuée une interprétation. Ce texte ou objet d'art n'en est pas un où toutes les indéterminations ont été résolues, où tous les problèmes ont été réglés, maîtrisés, solutionnés, mais un texte ou objet d'art où il reste un résidu qui sert justement de prétexte à l'interprétation. Cet objet, s'il est le point de départ de l'interprétation, est en fait le résultat, le point d'arrivée d'une compréhension: c'est le sens de leur complémentarité, de ce qui à la fois les départage et les relie.

Il ressort de ces derniers propos que comprendre et interpréter se font initialement sur la base des mêmes cadres de référence, des mêmes savoirs, qui tantôt conçoivent comme non problématiques, transparents, faciles à expliquer certains aspects de l'objet saisi, et tantôt doivent rendre compte de ses autres aspects, opaques, problématiques et requérant une interprétation. Les savoirs ont des limites et les procédures qu'ils mettent en jeu varient selon que celles-ci sont atteintes ou non. Je dirai que la compréhension est ce processus qui est engagé quand des aspects de l'objet peuvent être pris en eux-mêmes, qu'ils ont déjà été en quelque sorte pré-compris et qu'ils peuvent être traités simplement, en deçà par conséquent des limites du savoir; et que l'interprétation est le processus qui prend la relève quand des aspects de l'objet échappent à ce pré-compris et qu'ils requièrent, pour leur explication, un travail d'invention, de mise en relation faisant apparaître des propriétés ou des sens nouveaux.

Ce jeu sur les limites des savoirs explique que la compréhension apparaisse d'abord comme une affaire d'identité, tandis que l'interprétation est recherche d'une altérité. La première présente un objet dont elle confirme les aspects, tandis que la seconde lui en substitue un autre, un texte qui a pour but de l'expliquer. L'une s'inscrit dans la transparence, comme si l'objet pouvait être saisi en soi et pour soi; l'autre dans l'opacité, comme si au contraire l'objet était inaccessible à toute description immédiate et ne pouvait être saisi que par des circonvolutions. En fait, l'opacité de cet objet est relative, tout comme sa transparence, l'une et l'autre ne touchant que des aspects particuliers, évidemment distincts d'un objet qui, comme totalité, ne se soumet pas à un seul regard[35]. Certains aspects d'un récit, par exemple, se donnent à comprendre de façon littérale (les actions simples), tandis que d'autres demandent des opérations plus complexes (la signification du récit ou, plus localement, les motivations d'un personnage). Ce n'est pas tout d'un texte qui demande à être interprété et la compréhension n'épuise pas les possibilités de signification d'un texte.

Ce jeu sur les savoirs permet aussi de désamorcer une contradiction apparente dans la distinction proposée entre comprendre et interpréter. Si les deux sont des opérations malgré tout distinctes, comment expliquer le fait que *comprendre*, pour soi, puisse être *interpréter* pour autrui, que nos actes de compréhension par conséquent puissent être évalués comme des interprétations par d'autres? La réponse est que d'un cadre de référence à l'autre, d'un savoir à l'autre, la ligne de démarcation entre comprendre et interpréter n'est pas fixe. Ce qui est une compréhension pour l'un peut facilement passer pour une interprétation pour l'autre; ou encore, ce qui peut ne demander qu'une compréhension pour l'un peut exiger une interprétation pour l'autre. Il faut distinguer en fait entre l'intention en acte, ce que le sujet dit faire et qu'il prend comme comprendre, de l'évaluation de cette intention, ce qu'un observateur identifie, lui, comme activité, et qui peut être tout différent. Comme il a déjà été noté en philosophie de l'action (par A. Schütz, entre autres), seul l'agent sait véritablement où commence et ou s'arrête son action; les autres (partenaires ou observateurs) doivent l'inférer à partir des éléments qu'ils ont à leur disposition, les résultats obtenus, leur conformité à des attentes, etc. Cela veut dire que même si ces limites peuvent être bien établies pour l'agent dans son action, elles ne le sont pas pour le reste de la communauté, qui doit vivre avec ses conséquences. Il n'y a pas qu'une seule version à une action, mais probablement autant de versions que d'intervenants; et celle qui valait au moment de sa réalisation n'est pas nécessairement celle qui s'imposera pour qui viendra la reconstruire et l'évaluer. Les limites de l'action sont sujettes à des désaccords de toutes sortes et le système juridique est là pour nous le rappeler. L'interprétation est une action complexe et la même logique s'y applique. Il y a autant de versions de ses conditions d'apparition et de satisfaction que de cadres de référence qui, puisqu'ils sont en compétition bien souvent, s'évaluent les uns les autres et critiquent leurs multiples dispositions. Comme la ligne de démarcation entre comprendre et interpréter n'est pas fixe, un retour critique sur la décision d'interpréter ou encore la décision de ne pas interpréter est toujours possible. Dans le second cas, par exemple, le pouvoir naturalisant de ce qui se présente comme compréhension, comparativement aux opérations plus apparentes de l'interprétation (pourquoi interpréter quand ça se comprend tout seul?), amène bien souvent à de tels retours. Et ils se font sur le mode de la défamiliarisation, de la désautomatisation, montrant l'artificiel et l'opaque dans ce qui était présenté d'abord comme naturel et transparent. Le comprendre est présenté comme interprétation, ce qui est un moyen d'en affaiblir les résultats, puisque ceux-ci ne sont plus perçus comme des propriétés qui s'imposent d'elles-mêmes, mais la conséquence d'un système de croyances.

Conclusion

Ce qui a été proposé jusqu'à maintenant n'est pas une théorie de l'interprétation, si tant est qu'une telle théorie soit possible[36], mais une réflexion sur ses principaux enjeux théoriques. La définition avancée reposait d'ailleurs, de façon à ce qu'elle soit la plus polyvalente possible, sur l'usage de variables, de notions assez générales. Le portrait qui s'est imposé est finalement celui d'une opération de second degré, une relation réglée faite en situation et initiée par un prétexte. Tous les facteurs n'ont pas été pris en considération. Il en est deux sur lesquels j'aimerais maintenant brièvement m'arrêter.

La dimension des conséquences de l'interprétation et des contextes de sa pratique, par exemple, n'a pas été abordée. Si comme il a été dit plus haut, rien ne garantit *en soi* le respect ou encore la validité des règles de correspondance en jeu pour une interprétation, cela ne veut pas dire qu'elles ne sont jamais suivies, que tout est possible et permis, mais plutôt que leur respect ne peut être assuré que par des mécanismes externes à l'interprétation, des mécanismes de contrôle présents et définis par les institutions où elle se pratique, et qui sont plus ou moins contraignants selon l'importance que prend l'interprétation dans nos vies. En effet, qu'est-ce qui distingue l'interprétation d'un juge ou d'un historien de l'art, pour prendre ces deux exemples extrêmes? À la base, rien. À chaque fois, une correspondance est établie entre un premier élément et un second, un sens premier et un second. *Ceci veut dire cela.* Des cadres de référence sont invoqués (textes de la loi, précédents juridiques; tel modèle esthétique ou sémiotique), des objets sont identifiés, des règles de traduction liées aux disciplines sont appliquées, etc. Ce qui varie, d'une pratique à l'autre, ce ne sont pas les variables en jeu, mais bien les conditions matérielles de leur utilisation, l'impact que peut avoir l'interprétation sur nos vies et nos comportements. Plus cet impact est grand, et plus les mécanismes de contrôle sont complexes, plus l'importance des institutions qui garantissent la justesse des interprétations est grande (la cour *vs* l'université).

Le second facteur qui n'a été que brièvement esquissé concerne l'impact de l'objet analysé sur l'interprétation et ses définitions. En fait, les définitions varient non seulement d'une classe d'objets à l'autre, mais à l'intérieur même de certaines classes d'objets. Où commence l'interprétation en musique, par exemple? Ou encore, combien de types d'interprétation devons-nous définir pour rendre compte de l'ensemble des opérations liées au cheminement complet d'une œuvre musicale, depuis la lecture de la partition par un musicien jusqu'à l'écoute de l'enregistrement par un mélomane? La spécificité du langage musical, le nombre d'intervenants impliqués, de même que les lieux possibles de ces interventions conditionnent le type de définition proposé. Il en est de même au théâtre où le nombre d'interprètes et les lieux d'intervention sont aussi très grands. Mais, même à l'intérieur d'une classe, en art ou en littérature par exemple, le choix des objets influence l'importance accordée à l'interprétation. Selon que l'objet d'art choisi est une œuvre nouvelle, par exemple, une œuvre dont nous avons tout à apprendre, ou une œuvre déjà connue, déjà longuement commentée, évaluée, institutionnalisée, l'importance accordée à son interprétation, versus sa perception ou sa compréhension, sera différente. Si l'œuvre est déjà l'objet d'une habitude, si le contexte de l'analyse est la culture établie, présentée comme devant être partagée, un premier contact avec l'œuvre est présupposé et on peut facilement en disposer, ce qui favorise une définition de l'interprétation beaucoup plus large, dont même la compréhension fait partie. Si la base de la compréhension est déjà assurée, sa limite supérieure se confond facilement avec l'interprétation. Si, par contre, l'œuvre est nouvelle, étrangère, présente d'abord comme différence, échappant donc à toute habitude, sa compréhension n'est plus un préalable déjà maîtrisé, mais une étape nécessaire, importante. Et la conséquence est une plus faible place accordée à l'interprétation. En fait, le choix des objets étudiés est lié à l'ouverture des cadres de référence et c'est ensemble qu'ils fixent les lignes de démarcation, les conditions d'apparition et d'exécution de l'interprétation.

Notes

1. Gianni Vattimo, «L'herméneutique comme nouvelle *koinè*», *Éthique de l'interprétation*, Paris, La Découverte, 1991, p. 7.
2. C'est l'hypothèse de Nelson Goodman, à qui j'emprunte plus loin le concept de cadre de référence (*Ways of World Making*, Indianapolis, Hackett P. C., 1978).
3. Cette liste des usages du terme est reprise de Siegfried J. Schmidt, «L'interprétation: veau d'or ou nécessité», *Versus*, n°s 35-36, 1982, p. 77-98.
4. Graeme Nicholson, *Seeing and Reading*, Atlantic Highlands (N.J.), Humanities Press International, 1984.
5. Hans Georg Gadamer, *Vérité et méthode*, Paris, Seuil, 1976, p. 149.
6. Jean Grondin, *L'universalité de l'herméneutique*, Paris, PUF, coll. Épiméthée, 1993, p. 3.
7. On trouve en français, sous le titre de *Herméneutique* (Paris, Les éditions du Cerf/PUL, 1987), les principaux écrits de Schleiermacher sur l'herméneutique.
8. Gadamer, *op. cit.*, p. 148. Il ajoutait ailleurs: «Celui qui, dans la lecture, donne la parole à un texte, même si cette lecture ne comporte aucune articulation sonore, insère son sens dans la direction qui est celle du texte, dans l'univers de sens auquel il est lui-même ouvert. Ce qui justifie en définitive la vue romantique que j'ai suivie et selon laquelle toute compréhension est interprétation. Schleiermacher l'a dit expressément: "L'interprétation ne se distingue de la compréhension que comme le discours à haute voix du discours intérieur."» (*L'Art de comprendre. Écrits II*, p. 31)
9. Ricœur, «La tâche de l'herméneutique: en venant de Schleiermacher et de Dilthey», *Du texte à l'action. Essais d'herméneutique II*, Paris, Seuil, coll. Esprit, 1986, p. 83.
10. Voir aussi l'analyse que fait Jean Molino de l'opposition établie entre faits humains et physiques (s'opposant comme individuel et général, valeur et fait, intentionnalité et absence d'intentionnalité, historicité et stabilité temporelle) dans «Interpréter» (*L'interprétation des textes*, C. Reichler, Paris, éd. Minuit, 1989, p. 18 et *passim*)
11. Ricœur, «Qu'est-ce qu'un texte?», *Du texte à l'action*, *op. cit.*, p. 143.
12. Ricœur, pourtant, n'adhère pas totalement à la notion de texte héritée du structuralisme. Il s'en sert, comme d'une base le séparant des conceptions historiques de la littérature ou des conceptions traditionnelles, thématiques, mais il l'ouvre sur le monde. Si le structuralisme et le formalisme avaient permis de séparer le texte de l'auteur, permettant d'analyser le premier sans avoir à tenir compte du second, Ricœur achève cette séparation en l'inscrivant du côté du lecteur, de la situation de discours. C'est un texte à la base structuraliste qu'il revendique, mais un texte qui dépasse cet enfermement, ce suspens comme il l'appellera.
13. Ricœur, «Qu'est-ce qu'un texte?», *Du texte à l'action*, *op. cit.*, p. 155. Je souligne.

---

14 Gilles Thérien, «Pour une sémiotique de la lecture», *Protée*, vol. 18, nº 2, 1990, p. 67-80.

15 L'utilisation que fait Ricœur de Peirce dans «Qu'est-ce qu'un texte?» est intéressante, mais elle ne résiste pas très longtemps, fondée sur une lecture sommaire de ses écrits.

16 Tzvetan Todorov, *Symbolisme et interprétation*, Paris, Seuil, 1978.

17 Proposé dans un article traduit en français sous le titre de «Logique et conversation», *Communications*, nº 30, 1979 [1975], p. 57-79.

18 Todorov, *op. cit.*, p. 26.

19 *Ibid.*

20 Ricœur, *De l'interprétation: Essai sur Freud*, Paris, Seuil, 1965, p. 21.

21 Todorov, *op. cit.*, p. 18. Dans *Le conflit des interprétations* (Paris, Seuil, 1969), Ricœur propose qu'un symbole est «toute structure de signification où un sens direct, primaire, littéral désigne par surcroît un autre sens indirect, secondaire, figuré, qui ne peut être appréhendé qu'à travers le premier» (p. 16), et que l'interprétation est tout «travail de pensée qui consiste à déchiffrer le sens caché dans le sens apparent, à déployer les niveaux de signification impliqués dans la signification littérale» (p. 16).

22 Umberto Eco, *Les limites de l'interprétation*, Paris, Grasset, 1992.

23 Eco distingue par ailleurs, pour ses propres besoins, entre une interprétation sémantique et une interprétation sémiotique, distinction présentée ici comme celle entre compréhension et interprétation.

24 *Ibid.*, p. 108.

25 George Steiner, *Real Presences*, Chicago, The University of Chicago Press, 1989, p. 53.

26 Dans une perspective assez proche, Jerry R. Hobbs entreprend de définir l'interprétation, dans «Against Confusion» (*Diacritics*, vol. 18, nº 3, 1988, p. 78-92), à partir de l'intelligence artificielle, une perspective inhabituelle pour la théorie et la critique littéraires, qui l'amène d'ailleurs à en repenser les bases à partir d'un vocabulaire technique et d'un seuil réduit à son plus bas niveau. Il adopte ce point de vue car, dans le cadre de discussions théoriques, plutôt que techniques, en intelligence artificielle, il importe de découvrir les principes généraux qui gouvernent le comportement de tous les agents cognitifs. Dans cette optique, l'interprétation est identifiée d'abord à un procès ou un processus (le terme anglais utilisé est «*procedure*»), soit une action complexe mettant en jeu des variables en vue de l'obtention de résultats. Ainsi, pour Hobbs, et en fonction d'une terminologie mathématique, «l'interprétation est une fonction à deux arguments, le texte et un ensemble de croyances [«*a set of beliefs*»; plus loin il sera question d'un «*belief system*»]. Interpréter un texte, c'est donc présenter non seulement une interprétation, mais encore l'ensemble des croyances qui la garantissent.» (p. 78; traduction personnelle) Il représente de la façon suivante cette définition: $I= F(K,T)$; où F est une procédure interprétative mettant en relation un système de croyances (K) et un texte (T) à partir desquels une interprétation (I) est obtenue.

27 Je reprendrai ici, en fait, un exemple que j'ai déjà traité dans «Notre homme,

Chance, ou la nécessité d'interpréter», *Protée*, vol. 22, nº 3, 1994.

28 Jerzy Kosinski, *Being There*, Toronto, Bantam Books, 1970, p. 45.

29 *Ibid.*

30 *Ibid.*

31 Louis Quéré, «L'événement "sous une description"», *Protée*, vol. 22, nº 2, 1994, p. 14-28.

32 Alfred Schütz, *The Problem of Social Reality*, La Haye, Nijhoff, 1967.

33 Stanley Fish, *Doing What Comes Naturally*, Durham, Duke University Press, 1989, p. 141; traduction personnelle.

34 Dans un article important sur le conflit des interprétations, Paul B. Armstrong explique clairement que les présuppositions de toute méthode interprétative (leurs cadres de référence, par conséquent) contraignent l'interprétation tout autant qu'elles la rendent possible. Ces présuppositions fournissent un point de vue, une perspective grâce auxquels une œuvre peut être analysée, et sans lesquels aucun savoir ne serait possible; elles portent avec elles un réseau d'attentes qui permet de poser des questions à cette œuvre qui sinon resterait muette. Mais, en même temps, elles sont contraignantes car elles forcent à faire des choix: révéler, c'est garder caché ce qu'une autre approche, opérant sur de tout autres bases, aurait dévoilé. («The Conflict of Interpretations and the Limits of Pluralism», *PMLA*, vol. 98, nº 3, 1983, p. 341-352)

35 Un signe n'est pas transparent ou opaque, mais et l'un et l'autre. C'est l'hypothèse de la transparence-*cum*-opacité de F. Recanati (*La transparence et l'énonciation*, Paris, Seuil, 1979), qui ramenait du côté des usages plutôt que du signe ou de l'objet en soi l'importance accordée à l'une ou l'autre de ces dimensions, toujours présentes. En fonction du jeu de variables de Hobbs, maintenant, on pourrait dire que la compréhension n'est pas une relation à deux arguments, mais plutôt une fonction à un seul argument. Elle n'est pas une correspondance ou une traduction, mais l'identification d'un objet pour lui-même. Le résultat de la compréhension n'est donc pas un texte nouveau, atteint grâce à l'application d'une règle, un texte initialement caché que l'interprétation viendrait révéler et présenter comme solution aux indéterminations du texte de départ, mais ce texte-ci en tant qu'il peut être décrit et compris pour lui-même, en tant qu'il peut être constitué comme objet, malgré ses indéterminations.

36 Lire à ce sujet la critique de Stanley Rosen dans «The Limits of Interpretation», *Literature and the Question of Philosophy*, A.J. Cascardi ed., Baltimore et Londres, The John Hopkins University Press, 1987, p. 213-241.

La mort, un vide pour la représentation, un corps pour la peinture

ROSE-MARIE ARBOUR

Dans l'histoire de l'art occidental européen et nord-américain, blanc et à prédominance masculine, les nombreuses représentations de la mort et de ses entours sont là pour exalter les puissances terrestres et célestes — à moins que le corps mort ne soit traité comme objet anatomique: ainsi du Christ mort de Mantegna et, de Léonard de Vinci, les corps disséqués dans un but de connaissance. Les morts sont en quelque sorte héroïsés par la peinture et la sculpture. Bien que vaincus par la mort, ils la narguent depuis leur retraite céleste qui est le refuge indéfectible pour le juste. Le Christ mort constitue un paradigme de la représentation de la mort jusqu'au XIXe siècle dans l'art occidental. Quand le corps meurt, il ne peut que ressusciter: au pire, c'est l'Enfer qui l'accueillera pour le vouer à une torture éternelle. Relisons un passage de Léonard de Vinci qui fait une distinction entre des termes qui seront ici utiles:

> Le néant n'a point de centre, et ses limites sont le néant. (...) partout où il existe un vide, il y a aussi un espace qui l'entoure, mais le néant existe indépendamment de l'espace; en conséquence, le néant et le vide ne sont point pareils, car l'un peut se diviser à l'infini, alors que le néant ne saurait être divisé, puisque rien ne peut être moindre que lui; et si tu pouvais en distraire une partie, cette partie serait égale au tout, et le tout à la partie[1]. C.A. 289 v.b.

Ce vide plutôt que ce néant, des artistes l'ont abordé continûment depuis le Moyen Âge européen. Mais bien plus tard, à une période où le monde occidental traditionnel bascule dans la modernité, là où les anciennes balises et limites ne sont plus que bribes effritées, des artistes tentent de visualiser autrement la mort. Le Suisse Arnold Bocklin[2] et l'Allemand Caspar David Friedrich[3] nous ont laissé des représentations saisissantes de ce sentiment d'étrangeté irréversible et sans limite lié au néant que provoque la mort.

Depuis le XIXe siècle et l'avènement de la modernité en arts visuels, avec l'écroulement d'un imaginaire mis en place depuis le Moyen Âge européen et chrétien, il n'y a pas eu de consensus, aussi partiel fût-il, pour interpréter ou pour représenter cet état, ou mieux cette absence d'état, par quelque mode formel et coloré, dans les arts visuels.

Le monde judéo-chrétien avait fourni un éventail étonnamment varié de croyances et une multitude de thèmes iconographiques et plastiques pour figurer la mort comme vide. Le monde gréco-romain et l'Orient en avaient été les sources premières et complexes. Mais comme bien d'autres conventions artistiques fixées à la Renaissance, elles furent rejetées par les artistes européens du XIXe siècle qui cherchèrent ailleurs, dans des univers psychiques, géographiques, historiques et culturels différents, des références, des symboles et des formes décentrées afin de formaliser autrement ce sentiment d'étrangeté insondable que suscite la mort.

Les morts comme des vivants

Les corps morts, en peinture et en sculpture, ressemblent à des gens qui sommeillent. On les imagine, telle la Belle au bois dormant en instance de réveil, et l'on pense qu'un jour nous les reverrons vivants, que nous leur parlerons de nouveau, la vie recommençant comme si rien ne s'était passé. Les chrétiens ont aspiré à la mort pour rejoindre la vraie vie symbolisée par le Paradis. Comme si, depuis les origines, l'humanité s'était trompée de voie, avait pris celle qui mène à la fausse vie, à l'inauthentique, à la mort. La mort est dès lors obligée de survenir pour permettre d'entrer dans cette vraie vie: la mort comme dans un miroir, comme dans une *camera obscura*, la mort comme figure inversée de la vraie vie. En fait, la vie, l'ordinaire, a toujours été calomniée par le christianisme naissant ou vieillissant: la vie ne serait qu'occasion de péché, de corruption, de douleur, de déchéance, de chute. Les plaisirs et les joies n'y sont que leurres, au mieux des représentations anticipées mais imparfaites du paradis céleste. Le corps martyrisé du Christ, celui des écorchés, celui des squelettes décharnés rongés par les vers, ont été des appels en faveur d'une autre vie — la vraie, fût-elle mystique ou scientifique. La vie terrestre n'a de sens qu'en sa propre corruption, qu'en son essentielle déchéance. La mort collée au vivant comme sa mauvaise conscience est au centre du corps et elle ne se représente qu'à même ce qui vit, elle s'affuble d'allures de vivants pour mieux les entraîner vers elle.

La naissance et la mort qu'avait prises en charge l'iconographie chrétienne traditionnelle, les nativités et les mises au tombeau, les nombreuses scènes de martyre et autres mises à mort à valeur pédagogique avaient permis au monde chrétien de se représenter ses angoisses collectives et individuelles, conjurant ainsi les peurs provoquées par les dangers et les malheurs de la guerre, les innombrables cataclysmes naturels et sociaux. Or les mises en scène de la mort, nombreuses et diversifiées, se sont fondées sur un sentiment d'appartenance au monde des vivants: tous ces enfers, ces paradis, ces purgatoires et ces limbes où les êtres humains aboutissent, extirpés du monde des vivants, donnaient forme à la peur de l'au-delà, la peur de ce qui est ou n'est pas après la vie; en représentant l'objet de cette peur, les artistes la calmaient. En partie du moins. La mort paradoxalement imaginée aux couleurs de la vraie vie: comment l'imaginer, la penser, la projeter autrement? La peinture comme miroir de la culture, la vie comme miroir de la mort: les thèmes de l'imaginaire occidental s'y résument.

Léonard avait ainsi défini la peinture — une fenêtre ouverte sur la réalité extérieure — et, pour ce faire, il s'était engagé dans la quête de la connaissance du fonctionnement et des mécanismes de la vie, dans la compréhension des enveloppes charnelles par la décomposition des mécanismes du corps. Il s'approcha davantage de la vie que de la mort en en montrant les limites dans les cadavres qu'il disséquait en cachette. Les *Leçon d'anatomie* d'un Rembrandt et d'un Van Dyck témoignent des savoirs de leur époque sur le corps humain; ils cherchent et nomment les causes, les symptômes de la mort comme signes avant-coureurs de la vie éternelle. La mort est un passage.

Dans ces œuvres antérieures à l'avènement de la modernité, ce n'est pas vraiment la mort qui est décrite ou dépeinte mais ce qui reste de semblable au vivant dans les corps des cadavres — ce qui interprète la mort mais ne la représente pas. Ce sont des savoirs sur la vie qui y sont confrontés, comparés ou tout simplement évoqués. Jamais la mort n'y est prise en charge pour elle-même. C'est qu'elle résiste à tout regard, à toute forme qui l'imiterait, à toute approche qui la désignerait dans ses termes propres. L'allégorie, la fable, les fictions religieuses en sont donc les véhicules de représentation exclusifs. Et si tant de moribonds et de corps décharnés, éviscérés et transpercés animent tant de grandes œuvres peintes avant le XIXe siècle, c'est qu'elles sont destinées à amener l'âme du fidèle à la contrition. Elles reflètent les savoirs contemporains sur le corps. Personne n'a représenté l'au-delà du grand basculement qui n'ait emprunté les traits du vivant.

La mort moderne

Goya a figuré la mort moderne au bout des fusils, dans l'immédiateté de l'événement: *Le 3 mai 1808* (1814) est au point de transition d'une tradition figurative qui va s'éteindre. Représenter l'instant, le moment de passage, le temps bref de la mutation constitue un des projets les plus significatifs et tenaces de la modernité. Ici, c'est le passage de l'homme anonyme au héros à la chemise jaune, surgissant des coups de fusil mêmes qui abattent l'homme. Les héros sont toujours plus grands morts que vivants.

Les corps morts ou agonisants du *Radeau de la Méduse* de Géricault (1819), ceux moins livides mais aussi tragiquement confrontés à la dernière souffrance de *La Mort de Sardanapale* (1827) ou des *Massacres de Scio* (1824) de Delacroix, sont autant de prétextes tirés de savoirs et d'événements historiques vécus par une collectivité particulière à un moment donné. Ils formalisent la mort actuelle dont on ne saurait autrement dire la menace, la fatalité, la cruauté omniprésentes. Ces œuvres furent parmi les dernières du genre dit historique — si on fait abstraction de l'art pompier, de la peinture nazie et de celle dite du réalisme social des régimes reliés au communisme ou de ce qui en tint lieu. Comment et pourquoi décrire la couleur verdâtre des cadavres, la grimace du supplicié, le décharnement grisâtre du corps torturé puisque, dorénavant, la photographie s'en charge et l'affiche dans les journaux?

Edvard Munch représenta la limite du sentiment de vie sous la forme allégorique du *Cri* (1893): un crâne aux orbites creuses semble vivre de par son hurlement même, à la limite du supportable, à la limite du vide et des conventions figuratives encore vivaces. Loin de tout naturalisme, cette œuvre, sous forme gravée et peinte, saisit un son et un instant entrelacés dans la double volute fuyant à l'horizon. C'est le refus de la mort, plutôt que son appel, qui est figuré là.

Le court moment où la bave légère, poussée par l'exhalation du dernier souffle de la mourante, se répand sur ses lèvres, quelque chose d'autre s'installe irrévocablement là. Représenter cela que l'œil à peine saisit, ce *maintenant* qui n'est ni un avant ni un après mais qui est le moment de la mort, aucun artiste n'a pu le décrire, le dépeindre, le saisir au passage. Aucun artiste n'a réussi à figurer cela qui est à la limite d'être quelque chose et de n'être plus rien du tout, ce moment perdu à jamais, là où la représentation est à la limite d'elle-même, là où elle ne peut plus pénétrer ni rien interpréter.

Si, avec l'avènement de la modernité, la figuration a été généralement rayée des projets artistiques d'avant-garde, cette réduction draconienne de l'iconographie référentielle s'est faite en même temps que l'évacuation du corps comme objet de représentation qui fut réduit, déformé, morcelé; en même temps le thème de la mort ne fut plus qu'une curiosité parmi les thèmes picturaux. En effet, lors de cette période, les arts plastiques se sont dessaisis de la fonction de représentation non seulement mimétique mais analogique et allégorique. La modernité à l'œuvre a permis, dans les disciplines picturales et sculpturales, de se débarrasser des conventions obsolètes régissant la représentation du monde. Seuls les surréalistes, d'une façon à la fois radicale et contradictoire, utilisèrent certains procédés figuratifs rejetés par les peintres de l'abstraction, les pervertirent afin de pénétrer dans des mondes autrefois non représentables, hors la réalité extérieure, surréels.

À la fin du XIXe siècle, avec Manet entre autres, les corps sont disloqués ou bien, avec Monet, réduits à des taches colorées. Les aspects naturalistes des objets et événements de la réalité courante sont évacués au profit de la saisie du passage de la lumière et du temps sur les choses: la peinture s'organise à l'intérieur des conditions d'une picturalité attachée à rendre ces nuances lumineuses que l'œil capte dans l'interstice du visible et de l'imperceptible. Le vieux Monet, à la veille de mourir, désespéra de peindre cet instant-lumière frémissant à la surface de l'étang (*Nymphéas*), échouant dans son projet de peindre ce qui, pas plus que la mort, ne se saisit ni ne se représente.

Les traits d'un moribond saisis au pastel par Manet ne sont rien de plus que des motifs sollicitant l'œil du peintre qui scrute l'altération des chairs aux teintes modifiées au fil des heures. Le peintre le note, avec autant d'application et de maîtrise qu'il note les nuances violacées d'une botte d'asperges. Est-ce ainsi que la peur et la douleur de qui est en train de perdre un être cher se résorbent dans l'abîme de l'instant, le regard du peintre dardé sur le motif, oubliant l'ami qui se meurt devant lui. La mort devenue prétexte à l'art, le geste du peintre devenu geste incantatoire ou bien d'oubli, geste d'abîme de la mémoire, geste réfugié dans une autonomie et une liberté que dorénavant le peintre revendique face à la réalité, autonomie dans les limites de la surface plate de la toile et les bords du cadre. L'acte de peindre ne se réfère plus qu'à lui-même et symboliquement la mort ne le hante plus. Ou bien l'acte de peindre pour camoufler cela, justement? Lorsque Manet était enfant, l'ère de la machine avait commencé à marquer les mentalités; elle avait structuré l'imaginaire collectif et individuel pour rayer la croyance en l'origine (mythique) et en la fin (obscène) des êtres et des choses. Dans cette visée qui n'était pas pour autant une entreprise systématique d'artiste, Picabia conçoit *La Fille née sans mère. Voilà Elle* (1915). Les choses et les personnes, privées de leur nature originelle, sont fabriquées en série, jetables après usage, machines délirantes d'une modernité en expansion infinie. La Machine, dans son fonctionnement et sa fabrication, a alors modelé les sensibilités et les esprits, délestant en route l'intentionnalité et le pouvoir de transmission des œuvres. Le palimpseste de l'art comme histoire n'est plus. La tradition du nouveau s'installe.

En fait, au début de ce siècle, ce fut la scène entière de la peinture et des arts plastiques qui fut débarrassée de la nécessité de se référer à la réalité extérieure pour signifier ou même pour parler. Les artistes s'attachèrent à des thèmes ramenant l'œil au niveau de la surface picturale et du plan du tableau. Tout au-delà était tabou. Il y eut cependant toujours des artistes qui maintinrent des formes de représentation de cette réalité invisible tout en étant modernes: l'artiste allemande Käthe Kollwitz traita en peinture et en gravure ses contemporains aux prises avec la misère industrielle et urbaine, avec les malheurs de la guerre, avec la mort. Si certains dadaïstes et surréalistes s'approprièrent et manipulèrent des figures allégoriques et construisirent des chimères pour signifier cela qui ne se cerne ni ne se pèse — le rêve, l'inconscient, l'absurde —, la mort resta le plus souvent en deçà de leurs propos et de leurs projets figuratifs. *Guernica* (1937) cependant désigna la mort par le biais d'une allégorie de la violence et du massacre, de l'injustice et de la démence de la guerre. Dans cette œuvre historique, la mort qui plane dégage davantage l'énergie de l'espoir que celle du désespoir, davantage la perspective d'une délivrance que l'apathie d'une fatalité. Picasso faisait partie de la modernité et pourtant, l'allégorie se dévoile un peu partout dans son œuvre.

Représenter la mort se fonde aujourd'hui sur les mythologies personnelles des artistes plutôt que sur les consensus figuratifs d'une collectivité: ils peignent souvent la mort mais leur langage est privé, souvent allégorique, difficile à déchiffrer autant que la mort l'est à représenter. Les médias pour leur part la rendent obscène: mortelles fatalités et cataclysmes, violences, accidents, guerres et révolutions, maladies diverses sont retransmis en direct dans les cuisines, les salles de séjour, les chambres à coucher, les halls d'attente, les lieux publics. Pourtant la mort comme acte assumé individuellement et dans la solitude est rarement abordée; elle ne fait plus partie de ce consensus propre aux sociétés traditionnelles où rituels, signes et symboles ramenaient la mort à un état partagé par tous, les unissant même dans un sort et une destinée semblables, les rendant solidaires. Plutôt, s'il y a partage de formes de représentation pour marquer la mort des gens, c'est souvent pour la banaliser ou bien la dévoyer au profit de croyances et d'intérêts matériels de toutes sortes.

L'Autrichien Arnulf Rainer figure la mort en intervenant sur son propre autoportrait avec des traits violents, dénonciateurs même, atteignant ce qu'il y a de plus intime et de plus solitaire en lui-même. Il lacère la photographie dans une gestualité violente et précise, laissant comme image celle d'un soi agressé et rayé du monde des vivants.

À l'opposé, Joseph Beuys plante sept mille chênes le long des rues de Kassel en Allemagne (1982, 1984, 1986) pour conjurer les forêts décimées. Il récupère pour la vie ce que la mort avait déjà touché, marqué.

Peindre. Quoi dépeindre

Pour Platon, toute image peinte ou dessinée est un mensonge du fait qu'elle mime la réalité avec laquelle elle rivalise, jouant d'illusion: faire croire que les objets réels à trois dimensions entrent dans une surface qui n'en a que deux était pour Platon hautement illégitime. Dans une telle perspective, représenter la mort ou encore ce qui n'est pas la vie serait-il plus légitime que de représenter trois pommes? Dans les sociétés traditionnelles, les rites entourant la mort et les formes de sa représentation collective permettaient une continuité entre la douleur liée à la perte d'un être cher et les visions exaltantes d'un au-delà. En même temps la cohésion du passé et du présent se réalisait grâce au partage des mêmes symboles, des mêmes référents. Cela, la société moderne l'a fait voler en éclats. Que reste-t-il aujourd'hui de ces façons de dire collectivement le *manque* que la mort a creusé? Le corps exposé dans les salons funéraires nord-américains tend à faire croire qu'il n'est pas vraiment mort et qu'il n'est là qu'en sursis. Les entreprises de pompes funèbres accaparent les corps des êtres chers extirpés des mains et des larmes des proches qui ne peuvent plus, comme cela était encore possible récemment dans les communautés traditionnelles, leur faire une dernière «toilette», hommage rendu à la dépouille de qui fut un être aimé ou bien haï, qu'importe. Un consensus rassemblait là encore les vivants autour de la vie (éteinte) du décédé qui pendant quelques jours accompagnait leur propre vie sous le même toit. Le Salon prend tout en main: il réalise le geste le plus radical d'interprétation d'un corps en l'accaparant dès son dernier souffle pour le remettre en scène dans une «salle d'exposition» sans qu'aucune main familière, aucun regard des proches n'ait pu intervenir sur cette ultime exposition du corps devenu figure banalisée de la mort.

Les accumulations de vieux vêtements étiquetés et classés, rangés et minutieusement empilés par l'artiste français Boltanski, figurent la mort par le manque. La mort n'est présente que d'une façon métonymique, par des vêtements ayant appartenu aux morts — ici davantage des disparus. Ces vêtements sont des contenants tangibles et classifiés, anonymes en même temps que particuliers de ceux-là qui ne sont plus là: à leur place, ils interrogent les vivants.

Les tables ou catafalques dressés par l'artiste québécoise Jocelyne Alloucherie mettent en scène la mort d'une façon détournée: ces masses sombres de paysages, d'arbres et d'édicules dressés se retrouvent comme des ombres sur les surfaces métalliques qui leur font face, ombres brossées en gestes rapides et tournoyants, effacement de scènes trop explicites. Ne restent que des tons de gris et de noirs qui s'interprètent comme des paysages quasi oubliés, des espaces vidés.

La mort abstraite comme une idée est en même temps éminemment concrète. Elle peut se représenter dans ses causes et dans ses effets et constitue à ce titre un objet d'interprétation, en autant qu'elle soit vue comme un vide, non comme néant. Dans nombre d'œuvres mentionnées ci-haut, la mort est figurée davantage comme relations ou glissement d'un état à un autre, d'une limite à une autre — là où il est relativement possible de sentir, de voir, de toucher, là où le vivant fait toujours loi. Dans ce contexte, l'allégorie convient particulièrement bien pour la figurer. La mort chevauche le connu pour désigner l'inconnu, elle est transitive, elle est écriture sur une autre écriture. Son paradigme est le palimpseste. L'allégoriste, a écrit l'historien d'art américain Craig Owens, «n'invente pas les images, il les confisque, (...) il se pose comme interprète. Il ne restaure pas un sens original qui aurait été perdu ou caché; l'allégorie n'est pas l'herméneutique[4]». Et de citer Walter Benjamin qui lui-même avait déjà attiré l'attention sur cette capacité de l'allégorie de sauver de l'oubli historique ce qui est menacé de disparition. L'allégorie permet une prise de conscience de ce qui est passé et de ce qui est présent: «la conviction de l'éloignement du passé et le désir de le réhabiliter pour le présent[5]». Les représentations de la mort parlent de ces deux moments, du passé et du présent. Pas au-delà.

La représentation de la mort comme vide, comme manque est menacée de disparition dans l'imaginaire médiatisé des pays occidentaux industrialisés et riches ayant accès aux technologies nouvelles. L'image médiatique s'est emparée de la mort, évacuant l'inéluctable en en faisant un objet de spectacle, objet de voyeurisme et par là, étranger à celui qui regarde. La mort est signifiée par des images, signes, symboles qui *a priori* la désignent comme *autre*, comme celle des autres, celle qu'on tient à distance bien qu'elle soit dévorée des yeux. La mort se figure par et dans les autres mais jamais pour soi. Elle est la marque ultime de différence entre soi et l'autre — non pas que la mort n'existe pas pour tous, mais elle est conçue comme un accident, ce contre quoi chacun pour soi peut triompher... En fait, ni la mort ni la vie ne parviennent à se croiser dans une société de consommation où le *hic et nunc* domine toute perspective, si tant est que le *flash* en soit une.

La mort de soi

Au musée des Offices de Florence se trouve la plus grande collection au monde d'autoportraits et de portraits de peintres. Le catalogue général répertoriait pour la première fois en 1979 l'ensemble de cette collection, ce qui signifie 987 peintures et 15 sculptures[6]. Selon les documents d'époque qui accompagnent ces œuvres, il semble que la première cause de tout autoportrait, ancien ou moderne, soit un défi au temps qui passe, un défi à la mort. L'autoportrait, selon les propositions de classement de Pascal Bonafoux, c'est la «mort conjurée» et, au dos d'un autoportrait de Pietro Liberi (Musée civique de Padoue), on peut lire: «Vivant, Liberi est tel; et par le miracle de l'art son pinceau lui donna vie. La mort se trompa quand elle ouvrit pour lui le tombeau si encore vivant il se désigne de son pinceau.» Un autre écrivit: «Or pendant que celui-ci [le temps] fuit et jamais ne s'arrête je me ris de lui et m'en dégage en donnant une vie éternelle à mon portrait.» (Pierleone Ghezzi)[7]

Plusieurs artistes se sont par ailleurs représentés eux-mêmes dans la position même du mort: l'autoreprésentation en gisant de marbre de l'artiste italien contemporain Fabro consiste en un corps entièrement recouvert d'un drapé mouillé, reposant dans une paix ultime et solitaire. Il exprime une émotion commune à qui se projette soi-même dans le moment dernier. Ce corps inerte voué à la désintégration est une projection dont l'artiste peut contempler, telle une âme désincarnée, sa propre image abandonnée à la mort. De telles mises en scène forment de faux autoportraits funèbres: ils font se confronter en «grandeur réelle» l'artiste à l'ultime défi d'un présent sans futur. Ici donc surgit grâce à l'art une réconciliation, par le procédé métonymique, de l'artiste moderne et de son public: une relation traditionnellement vécue en termes de défi et d'opposition se résout ici au sein même du regard de celui qui regarde et interprète ce qui est partagé et par l'artiste et par celui qui regarde. Pour certains artistes, se représenter soi-même en tant qu'artiste mort devient de plus un geste de réconciliation avec soi-même, en se donnant à voir en tant qu'objet et sujet, en tant qu'œuvre et en tant que personne. Cette représentation anticipée de soi dans la mort n'est pas pour autant un *autoportrait* funèbre — ce qui serait une contradiction dans les termes. Cette représentation anticipée est davantage une *autoreprésentation* funèbre: le gisant de marbre au moyen duquel Fabro se présente mort est une réalité anticipée, elle se présente au spectateur comme si la mort de l'artiste avait déjà eu lieu. C'est sous l'espèce allégorisée du gisant, forme empruntée à la tradition médiévale où les corps morts des puissants étaient ainsi exposés dans les églises et les monastères, que Fabro s'est représenté, puisant dans une tradition ancienne de représentation commémorative des puissants de ce monde. Il présente ce qui de lui ne disparaîtra pas mais survivra, non pas l'image de soi comme *alter ego* qui se donne à voir, mais autoreprésentation fictive que l'œuvre d'art[8] permet d'incarner.

Cette autoreprésentation funèbre désigne la destinée de l'artiste et n'est pas un autoportrait à vif[9]. L'autoreprésentation funèbre entraîne une conception et une lecture qui diffèrent de celles d'un autoportrait: l'artiste ne se représente pas tel qu'il est, mais tel qu'il sera dans le regard du public alors même qu'il ne sera plus. Anticipant sur le futur, Fabro se donne ici et maintenant un pouvoir de survie qu'il sait ne pas être le sien: il se pose à l'origine sinon de son œuvre, du moins de sa propre fin. Se rendre maître de sa propre fin, n'est-ce pas l'œuvre d'art par excellence? Conjurant sa mort, il la distancie. Il en fait un *texte*, une œuvre.

En réalité, le spectateur se trouve devant un dispositif de représentation qui se rapproche de celui qui est propre à une œuvre postmoderne, et que René Payant a définie sous le nom d'installation. Un des paramètres de l'œuvre postmoderne n'est justement pas la constitution d'une représentation au sens strict du terme, mais plutôt la démonstration d'un intérêt pour le dispositif de représentation comme tel: «Si on ne peut davantage dire ce qu'est l'installation, on peut au moins dire que le terme signale cette volonté de distanciation, ce vouloir-être autre que le modernisme artistique[10].» L'autoreprésentation funèbre est fondée sur cet entrelacement de relations entre l'objet de représentation de l'œuvre (le cadavre de l'artiste), son sujet ou thème (la mort), sa propre œuvre. Si le propre de l'œuvre postmoderne réfléchit et fait réfléchir sur les conditions sociales de son existence comme œuvre d'art (Payant), nous pourrions extrapoler et dire ici que l'autoreprésentation funèbre, telle celle de Fabro, réinsère non seulement le sujet peignant dans l'œuvre, mais aussi son *futur simple* — sa mort — et qu'en ces termes, ce type d'œuvre se situe dans une perspective postmoderne.

Fabro s'approprie un genre artistique médiéval, le gisant. La distanciation, rendue possible par cette référence même pour le spectateur, s'effectue par le biais de l'imitation de ce genre: Fabro n'aspire pas à l'éternité de l'âme en laquelle croyaient les fidèles du Moyen Âge ou de la Renaissance pour lesquels la figure du gisant était un symbole de survie. Le gisant que propose l'artiste au regard du spectateur n'a d'«éternel» que la solidité du matériau avec lequel il a été réalisé; la survie de l'âme est un leurre et Fabro le rappelle en utilisant pour (se) représenter le vide, les formes historiques qui, au contraire, signifiaient l'espoir d'éternité. Il parodie la conception traditionnelle de l'image comme résurrection de la vie.

Pour interpréter cette œuvre, le spectateur ne peut ignorer ni son actualité ni son contexte propre, ni ses références et allusions à son modèle d'origine historique. L'œuvre ne peut dès lors se réduire à sa seule qualité d'objet plastique puisqu'elle participe d'un autre espace et d'un autre temps: ignorer cela la réduirait à une infime partie d'elle-même tant sur le plan du sens que de l'organisation formelle. En d'autres mots, elle ne serait plus qu'un pastiche.

La boucle bouclée: Betty Goodwin

Betty Goodwin aborde depuis longtemps la représentation du manque, du vide. Récemment, la baignoire modelée dans du plâtre d'où s'échappe l'eau, la baignoire transformée en tombeau ou en urne funéraire haute et étroite approfondit ce discours sur la mort. Espace matriciel réduit à une simple fente. Ou encore, jambes qui deviennent ossements et tibias, béquilles et cannes. Ces formes et motifs s'entrecroisent et le corps du mort s'ancre dans la terre, son souvenir parcourt les mémoires.

Matrice et tombeau, jambes et ossements, traces de vie et traces de mort se confondent dans l'épaisseur du sol où un corps s'enfonce doucement dans une matière aqueuse mêlée de terre et de racines, là où la matière devient terre nourricière, là où la douleur des vivants n'a plus prise et se confond à l'absence dans l'épaisseur de l'humus, là où les morts lentement se fondent à la terre chargée de détritus, de scories, de graines et de germes. De ce silence, de ce vide au sein du regard creusé et laissé par le mort et par l'œuvre d'art, surgit ce que, semble-t-il, la mort provoque sans relâche, la mémoire. Ce vide que provoque un tableau, ce vide qui n'est «ni un objet réel ni un objet imaginaire» (Barthes), n'est-il qu'une autre forme du *désir* qui stimule et aspire ce que la mort annihile sans fin?

Les œuvres récentes de Betty Goodwin renversent ce qui a désigné l'œuvre moderne depuis plus d'un siècle dans les termes définis entre autres par Jean Starobinski: «la plupart des grandes œuvres modernes ne déclarent leur relation au monde que sur le mode du refus, de l'opposition, de la contestation[11]». Goodwin ne refuse, n'oppose ni ne conteste. Elle mixte la mort et la vie, elle fait se disloquer les oppositions binaires qui ont alimenté une partie du modernisme, elle accepte la chute comme partie de ce qui fonde son art, le souffle qui l'anime rejoint un cycle qui a plus à voir avec l'émotion où nous plonge la promiscuité du vide que la confrontation directe avec l'univers industriel, entreprise de la modernité.

Interprétant la mort par le vide qu'elle laisse, Goodwin la représente comme élément de vie, elle la fait glisser hors de ce néant indicible évoqué par Léonard, elle desserre momentanément le lien incompréhensible, elle fait reculer les limites de l'interprétation à un point d'oscillation infime où vie et mort s'interpénètrent et s'interprètent mutuellement. Représentant la mort par la figuration des corps qu'elle a terrassés, cette peinture dit en cela d'abord ce qu'elle est elle-même, «jamais tout à fait hors du temps, parce qu'elle est toujours dans le charnel», écrit Merleau-Ponty à propos de la peinture en général[12]. Représenter la mort avec la figure du corps et les moyens de la peinture, n'est-ce pas l'interpréter, la situer aux limites de notre monde visible mais sans l'en faire basculer? Le néant dont parlait Léonard est, dans cette perspective du visible et par conséquent de la peinture, une vue de l'esprit. Et peut-être davantage une illusion que ne l'est, en pareille circonstance, la peinture. De la mort, la peinture dit cela, elle interprète la mort telle qu'elle la représente et lui communique une partie de sa «chair», affirmant par là qu'«(...) il faut que ce qui est sans lieu soit astreint à un corps (...)[13]».

Notes

1 De Vinci, Léonard, *Les Carnets de Léonard de Vinci*, vol. 1, collection Tel, Gallimard, 1942 (1987), p. 68.

2 Arnold Bocklin, 1827-1901.

3 Caspar David Friedrich, 1774-1840.

4 Owens, Craig, «The Allegorical Impulse: Toward a Theory of Postmodernism», *October*, n° 12, printemps 1980. Extrait publié dans *L'Époque, la Morale, la Mode, la Passion,* Catalogue du Centre G.-Pompidou, Paris 1987, p. 495.

5 *Ibid.*

6 Trkulja, Silvia Meloni, «L'autoportrait classé», *Corps écrit, L'autoportrait,* n° 5, PUF, février 1983, p. 127.

7 *Ibid.*, p. 133.

8 L'alter ego «dont l'existence supposée tisse toujours la trame de l'autoportrait et de son intrigante évidence», écrit Daniel Arasse dans «*La Prudence* de Titien», *ibid.*, p. 111.

9 Payant, René, «Une ambiguïté résistante: l'installation», *Vedute*, Éd. Trois, Montréal, 1987, p. 336.

10 *Ibid.*, p. 338.

11 Cité par Hans Robert Jauss dans son livre intitulé *Pour une esthétique de la réception*, Gallimard, Paris, 1978, p. 116.

12 Maurice Merleau-Ponty, *L'Œil et l'Esprit*, coll. Folio essais, Gallimard, 1964, p. 81.

13 *Ibid.*, p. 83.

Betty Goodwin, *Untitled (Nerves), No 1*, 1993, pastel à l'huile, goudron, cire et impression chromoflex sur Mylar. 196,3 cm x 134,5 cm.

Betty Goodwin, *Untitled (Nerves), No 5*, 1993, pastel à l'huile, goudron, cire et impression chromoflex sur Mylar. 143,6 cm x 207 cm. (Photo: R.-Max Tremblay)

Les limites de l'interprétation et les amours de Fra Filippo Lippi[1]

OLGA HAZAN

à Leo Steinberg

Erwin Panofsky, l'art et l'histoire de l'art

Dans son introduction à *Meaning in the Visual Arts* intitulée «The History of Art as a Humanistic Discipline», Erwin Panofsky définit le rôle, les objectifs et les méthodes de l'historien de l'art d'aujourd'hui en le présentant comme le descendant direct de l'humaniste du passé[2]. Dans son texte suivant, «Iconography and Iconology: An Introduction to the Study of Renaissance Art», Panofsky propose un modèle d'analyse qui permettrait au protagoniste de son chapitre précédent d'identifier la signification d'une œuvre d'art[3]. Ces deux textes qui se suivent au début de son livre constituent, avec le chapitre troisième et l'épilogue sur l'histoire de l'art aux États-Unis qui apparaît en toute fin, le volet méthodologique et historiographique d'un recueil constitué autrement de textes dont l'objet, moins ambitieux, se limite à l'analyse de l'œuvre d'un individu en particulier[4]. En me référant aux premiers textes méthodologiques qui précèdent les études plus ponctuelles de *Meaning in the Visual Arts*, je tâcherai de cerner le sens que Panofsky attribue au concept d'interprétation, pour établir à partir de là une définition plus générale de ce terme et des limites qu'il établit, pour finalement préciser dans quelles conditions je définis à mon tour les limites de l'interprétation. Une brève analyse du *Tondo* de Fra Filippo Lippi permettra de montrer comment le modèle adopté, qui interdit que l'œuvre soit jugée ou considérée comme transparente, offre une ouverture, à la fois à l'œuvre et à l'interprétation.

Dans les deux premiers textes de *Meaning in the Visual Arts*, Panofsky aborde son sujet en décrivant l'image d'un homme qui pose un geste de civilité. En plus de constituer des entrées en matière imagées et animées, et par conséquent captivantes, ces deux scènes lui permettent d'inscrire l'historien de l'art dans une tradition de décorum et de savoir-vivre. Dans le texte sur l'iconographie, l'image du passant qui soulève son chapeau pour saluer une connaissance établit la réalité de la vie quotidienne comme modèle à travers lequel est élaborée la méthode d'analyse des œuvres d'art. Dans le texte précédent, l'image d'un Kant qui demeure attaché à un sens de l'humanisme même lorsqu'il est à deux doigts de la mort, permet à Panofsky de présenter l'historien de l'art comme un être noble et pourvu de qualités. «Le sens de l'humanité ne m'a pas encore quitté», aurait dit Kant après avoir attendu, faible et tremblotant, que son médecin l'invite à s'asseoir[5].

La lecture simultanée de ces deux textes révèle leur complémentarité dans la mesure où les deux définitions qui s'en dégagent — le rôle de l'historien de l'art et l'analyse des œuvres — s'harmonisent pour compléter la méthodologie d'un Panofsky qui se veut humaniste et capable, tel un médecin identifiant un diagnostic ou un Sherlock Holmes à la recherche d'une vérité factuelle, de recouvrer la seule et unique signification de chaque œuvre. Deux particularités ressortent du programme de Panofsky tel qu'exposé dans ces deux articles:

a) les œuvres d'art et les événements de la vie quotidienne sont mis sur le même plan lorsque, par exemple, une représentation picturale et le geste réel d'un homme qui soulève son chapeau sont considérés comme des signes appartenant à des langages analogues. Ainsi le choix d'exemples liés à l'expérience «humaine» et quotidienne donne à l'art un aspect d'expression naturelle (*zeitgeist*), en même temps qu'il permet aux lecteurs intimidés de minimiser leur sentiment d'ignorance face à l'érudition impressionnante de l'auteur;

b) chaque œuvre ne renferme qu'une seule signification que l'historien de l'art ne peut donc pas interpréter mais seulement découvrir et décoder.

«L'histoire de l'art comme discipline humaniste»

Dans ce texte, Panofsky compare les méthodes de l'homme de science à celles de l'humaniste, auquel il associe l'historien de l'art sans nécessairement utiliser les termes «historien de l'art», «œuvre d'art» ou «objet d'art». Mis à part le titre, «Art History as a Humanistic Discipline», aucune allusion directe n'annonce cette association, jusqu'en page 7 où l'auteur, décrivant l'objectif de l'humaniste — qui serait d'identifier des structures spatio-temporelles —, présente à la première personne et sans préavis («If I date a picture about 1400...») un exemple qui relève des tâches de l'historien de l'art.

À partir de l'image du Kant humaniste sur laquelle s'ouvre ce texte, Panofsky dégage deux définitions historiques du mot *humanitas*, toutes deux liées à des qualités morales: durant l'Antiquité, ce mot distinguait l'humain de l'animal alors qu'au Moyen Âge, la comparaison entre l'humain et le divin ôtait à l'humanisme la dignité dont Panofsky le voit paré. Selon lui, c'est de la définition héritée (il écrit en 1940) de cette double origine du mot *humanitas* qu'est né l'humanisme qu'il définit comme une attitude plutôt qu'un mouvement. Cette attitude se caractérise selon lui par la conviction d'une dignité humaine fondée sur des valeurs (la dignité et la liberté) en même temps qu'une reconnaissance des limites humaines (faillibilité et fragilité)[6].

Pour situer le rôle de l'humaniste dans l'histoire, Panofsky se sert d'une série d'oppositions entre l'Antiquité et le Moyen Âge, l'humanisme et les sciences, la nature et la culture, le monument et le document, la tradition et l'innovation[7]. Ces oppositions lui permettent de dégager un portrait engageant de l'humaniste, essentiellement héritier de l'Antiquité et de la Renaissance, qui rejette l'autorité tout en respectant la tradition[8]. Cet humaniste se permet de considérer le Moyen Âge comme une époque stagnante et sans perspective historique par rapport à l'«objectivité» de la Renaissance, ou comme une époque où l'on ne s'intéresse pas aux documents humains («human records») et où les artisans copient sans les comprendre les modèles de l'Antiquité[9].

On peut s'interroger sur les motifs qui poussent Panofsky, en 1940, à vouloir définir le rôle de l'historien de l'art — son propre métier en somme — tout en l'inscrivant dans une histoire de la civilisation, à la fois progressive et régressive. Sa description du noble chercheur qui s'intéresse à une humanité oscillant entre son potentiel de valeur et ses limites ne peut pas être sans rapport avec la situation de l'Europe durant la Deuxième Guerre, plus particulièrement celle de l'auteur lui-même, juif allemand émigré aux États-Unis quelque sept ans plus tôt, au moment où l'Allemagne instaure une dictature nazie.

En 1933, alors qu'il occupe momentanément un double poste de professeur en Allemagne et aux États-Unis, Panofsky se voit remercié de l'Université de Hambourg où il tenait une chaire depuis 1921[10]. On cherchera pourtant en vain dans ce texte, ou dans ses autres écrits, une référence directe à une situation qui après tout, avait changé le monde, la vie de l'auteur, son opinion sur les êtres humains et sans doute l'idée qu'il se faisait de son métier. Une seule allusion à cette situation apparaît en dernière page de l'article, voilée par des généralisations historiques, alors que l'auteur résume le cours de l'histoire comme suit:

> Si la civilisation anthropocratique de la Renaissance mène, comme cela semble être le cas, à un "Moyen Âge à rebours" — une satanocracie, par opposition à la théocracie médiévale — non seulement les champs humanistes mais aussi les sciences naturelles, telles que nous les connaissons disparaîtront et rien ne subsistera que ce qui sert les exigences d'une humanité indigne de ce nom. Même cela, pourtant, ne sera pas un signe de la fin de l'humanisme. Prométhée pourrait être lié et torturé sans que ne s'éteigne le feu allumé par sa torche[11].

Derrière une histoire extrêmement généralisée de la culture, se dessine une histoire plus ponctuelle et plus monstrueuse. Par ses références temporelles, l'auteur indique qu'il se situe dans la noirceur d'une époque post-Renaissance, rétrograde et destructrice («the Middle-Ages in reverse»), à laquelle l'humanisme survivra pourtant. On décèle, dans le contraste entre la situation dont il est témoin et le portrait que l'auteur brosse de l'humaniste, la nostalgie du temps révolu où l'on pouvait croire en la bonté des hommes et l'espoir auquel il s'accroche pour s'en convaincre[12]. C'est de cette nostalgie et de cet espoir que se constitue le portrait de son chercheur en quête de signes d'humanité. Ces signes, «l'humaniste» pourra les rassembler pour construire — alors que la «satanocracie» la détruit — l'histoire d'une civilisation humaine engagée sur la voie du progrès.

Ces signes permettent donc à l'auteur de reconstruire une histoire humaine de la civilisation comme on constitue un puzzle, en cherchant pour chaque vide le morceau manquant. Le Panofsky humaniste s'intéresse aux œuvres d'art en ce qu'elles constituent, parmi d'autres «signes», les produits, les traces et les documents («records») des cultures et des civilisations[13]. Ces signes l'intéressent en autant qu'ils lui permettent de reconstituer une structure spatio-temporelle logique et cohérente («Finally the results have to be classified and coordinated into a coherent system that "makes sense".»)[14]. Chaque œuvre n'existe que parce qu'elle appartient à un ensemble qui constitue le véritable champ d'intérêt de l'auteur et n'est choisie et étudiée qu'en fonction d'un souci de classification. D'un point de vue historiographique et méthodologique, le fait de vouloir établir un système cohérent de classification était d'une importance majeure pour la génération de Panofsky. En effet, après le travail des Riegl et Wölfflin, la discipline se devait d'édifier une histoire qui puisse à nouveau tenir compte des rapports entre l'art et son contexte, sans pour autant que ne soient perdus les acquis antérieurs, parmi lesquels l'idée d'un développement cohérent de l'art qui avait contribué à légitimer l'autonomie de la discipline[15]. Ce contexte historiographique et méthodologique explique le désir de Panofsky de présenter une histoire de l'art qui soit globale, cohérente et surtout accessible et maîtrisable par des méthodes scientifiques.

Dans cette optique, on comprend aussi pourquoi Panofsky élabore une méthode qui consiste à «décoder» plutôt qu'à interpréter l'art, cette méthode lui permettant de présenter une discipline qui traite de développements logiques, rationnels et faciles à saisir. Les documents, qu'il différencie plus loin des «monuments» sans pour autant reconnaître à ces derniers leur capacité à produire du sens qui les distingue du simple document, doivent être décodés pour être mieux classés[16]. Pour Panofsky, les monuments, comme les documents, sont porteurs des signes qui les relient à leur culture et reflètent des significations sans en produire. Ils ne font pas partie d'une symbiose et constituent rarement la cause d'un changement historique; ils ne font qu'illustrer l'effet ou l'impact que ce changement aura produit sur l'art[17].

Nous pouvons donc discerner deux situations, l'une issue du contexte historico-politique et l'autre, d'enjeux méthodologiques, qui motiveraient Panofsky à présenter son métier et la discipline en général de manière positive. En présentant une histoire des signes ou des témoignages humains («records») comme cohérente et ordonnée, Panofsky pallie deux problèmes d'ordre différent. Il légitime d'une part les fondements de la discipline et en même temps nous rassure sur le statut d'une humanité dont les atrocités peuvent être, sinon justifiées, du moins expliquées par la nature historiquement dualiste de l'être humain. Pour ce faire, Panofsky peut, étant historien, retracer la voie perdue qui menait au progrès de l'humanité et recouvrer dans l'Antiquité et la Renaissance un idéal du passé, d'autant plus prestigieux qu'il est opposé à l'époque dite des ténèbres. Plus la situation paraît critique au niveau historiographique (à cause d'un besoin urgent de légitimer la discipline) ou sur le plan historique (lorsque la montée du nazisme dévoile l'horreur humaine), plus l'historien de l'art qui apporte l'espoir d'une légitimité à la fois de l'homme et de la discipline est présenté sous un jour favorable.

Iconographie et iconologie, Panofsky et Steinberg

Dans son article sur l'iconographie, écrit près d'un an avant celui qui sert d'introduction à *Meaning in the Visual Arts*, soit en 1939, Panofsky présente sa méthode d'interprétation comme un moyen qui permet au chercheur d'identifier l'unique signification de chaque œuvre, cette signification étant conçue comme l'équivalent verbal ou littéraire de l'objet qui la représente[18]. Plusieurs auteurs comme Jean Wirth, Jean Molino ou Jean Arrouye ont justement relevé cette tendance chez lui à considérer l'œuvre d'art comme porteuse d'une seule signification cohérente[19]. Les problèmes que pose la méthode de Panofsky, telle que décrite dans son texte sur l'iconographie, peuvent être mis au jour par une comparaison entre sa description de la *Cène* de Leonardo, qui illustre sa méthode en trois volets, et l'interprétation qu'élabore Leo Steinberg de la même œuvre. Steinberg, qui détecte dans la fresque plusieurs niveaux d'interprétation et semble en cela ouvrir la porte à la spéculation, se dégage en fait de l'idée voulant qu'une œuvre représente une unité spatio-temporelle puisqu'il décrit la *Cène* comme faisant référence et répondant à plus d'un lieu et d'un moment à la fois[20]. La question de l'interprétation s'inscrit par ailleurs dans un contexte plus général où depuis quelques décennies — Umberto Eco le montre dans *The Limits of Interpretation* — le rôle du lecteur et son attitude sont au centre des débats littéraires[21].

L'interprétation de Steinberg peut susciter chez le lecteur plusieurs questions, parmi lesquelles celle de l'intentionnalité de l'artiste[22]. Leonardo a-t-il vraiment voulu inclure dans la *Cène* tous les niveaux d'interprétation que propose l'auteur? Sans se soucier de savoir ce que Leonardo pensait ou voulait, Steinberg se concentre avant tout sur ce qu'il voit. Contrairement à Panofsky qui considère la *Cène* comme un récipient culturel dont la fonction est de documenter le lecteur sur la culture du temps et du lieu[23], Steinberg examine les choix formels et iconographiques de Leonardo et mesure l'impact de ces choix sur l'interprétation picturale que le peintre offre dans sa *Cène*[24]. Alors que Panofsky décode un document pour juger d'une époque, Steinberg se pose comme l'interprète d'une interprétation picturale. On ne peut pourtant pas accuser Steinberg pour autant d'être plus spéculatif que Panofsky puisqu'il ne fait que mettre au jour la dimension aléatoire de l'interprétation. La lecture de Panofsky serait, au contraire, moins objective que la sienne par le fait même qu'elle se présente comme telle.

L'interprétation

La présentation succincte de quelques aspects de la méthode de Panofsky nous aura permis d'en illustrer certaines limites dues au fait qu'il considère l'œuvre comme une représentation plutôt qu'une interprétation, alors que lui-même se pose comme le détecteur de cette représentation plutôt que son interprète. Pour Panofsky, l'analyse des œuvres se fait essentiellement par un processus d'identification qui permet au chercheur de retrouver l'interprétation «correcte» de l'œuvre, c'est-à-dire l'équivalent littéraire d'un langage visuel dont la fonction première serait de refléter l'époque.

Une fois dépassées les limites du modèle de Panofsky, il nous coûte pourtant de nous retrouver dans un univers moins ordonné où l'idée de vérité historique se voit remplacée par la nécessité de prendre en considération la subjectivité de tous les individus en contact avec l'art (le mécène, l'artiste, le spectateur/récepteur, l'auteur et le lecteur). Les nouvelles approches qui remplacent aujourd'hui les méthodes panofskiennes tendent à décharger l'auteur de la trop grande confiance qui lui était accordée, pour déplacer le point de repère de l'analyse vers d'autres lieux. Ainsi certains chercheurs, au lieu de se présenter comme l'«autorité» en mesure de reconstituer la véritable signification d'une œuvre, adoptent l'attitude plus modeste du spectateur qui en examine certains signes pour proposer un point de vue; d'autres préfèrent remplacer les concepts quelque peu vagues de *zeitgeist* et de *kunstwollen* par des contextes plus précis de production et/ou de réception des œuvres. En choisissant sa méthode, chaque auteur établit une définition du concept d'interprétation et en délimite automatiquement les paramètres. Ces méthodes n'apportent pourtant que des solutions fragmentaires au problème tentaculaire de l'interprétation, chaque interprétation ne pouvant qu'être infidèle aux réalités multiples, fugitives et impalpables qui composent une œuvre d'art à tous les moments de son existence.

Si l'on accepte la dimension subjective de l'interprétation, on se doit de prendre en considération le processus complet de production, réception et théorisation auquel une œuvre est soumise: l'artiste interprète «quelque chose»; l'auteur interprète ce que l'artiste a représenté, et enfin le lecteur interprète la démonstration de l'auteur. Cette chaîne d'interprétations, dont la marge d'erreur se multiplie à chaque niveau, repose sur l'œuvre d'art, à laquelle on assigne la capacité de refléter un modèle qui serait représenté de manière plus ou moins consciente. Alors que les interprétations de l'auteur et du lecteur, même si elles alimentent des controverses, ne comportent pas d'ambiguïtés au niveau du concept même, l'idée d'interprétation picturale, voisine de celle de représentation (mimétique, par exemple), est plus problématique en ce qu'elle établit l'œuvre comme un équivalent à autre chose. Cette autre chose («something else», selon l'expression de Panofsky), c'est le modèle que l'artiste représenterait: la nature, l'*istoria*, un sujet, une idée, ses opinions, ses états d'âme, le climat de l'époque...

De par sa dimension narrative, l'histoire de l'art nous induit à percevoir les couleurs qu'utilisent Rembrandt et Van Gogh comme la manifestation ou l'équivalent de leur nature psychique ou de leur détresse face aux difficultés de la vie. Nous percevons un diplomate derrière les tableaux de Rubens et un homme rationnel derrière ceux de Poussin. Si ces interprétations sont problématiques, ce n'est pas tant à cause de leur aspect fantaisiste mais parce qu'elles sont présentées comme l'équivalent de l'entité homogène, réductible à une seule image, que formerait l'œuvre, l'artiste ou l'époque, selon le cas. Le concept de modèle ne sert en fait qu'à donner au chercheur l'impression qu'il est en mesure de saisir et comprendre l'intention de l'artiste et la signification, unique, de son art. Le modèle que l'œuvre représenterait se trouve en somme à n'être que ce que l'auteur aura décidé qu'elle représente. L'idée d'équivalence entre le modèle et la représentation permet à l'interprète de se présenter comme le spécialiste capable de détecter «ce que ça représente». De l'œuvre ne subsiste, dans ces cas, que le cadre qui délimite une zone que l'historien de l'art traverse pour aller chercher non pas l'œuvre elle-même, mais le modèle qu'elle présenterait en duplicata.

Les limites de l'interprétation

Ayant défini le concept d'interprétation, chez Panofsky et de manière plus générale, nous pouvons à présent en sonder les limites.

L'interprétation n'a de limites qu'à partir du moment où un auteur, définissant sa méthode, établit automatiquement des choix par rapport à d'autres approches qui pour lui deviennent «hors limites». Il n'existe, *a priori*, pas de limites objectives ou finales à l'interprétation (lorsque la vérité serait enfin établie) puisque, dans les sciences humaines surtout, les questions demeurent toujours ouvertes[25].

Si notre discipline, essentiellement interprétative, continue d'exister, c'est précisément parce que les dossiers d'artistes ne sont jamais clos ni les controverses définitivement résolues. Il n'est pas non plus de jugement décisif qui classe un objet d'art sous une rubrique positive ou négative, comme ce peut être le cas pour un dossier judiciaire qu'un tampon scelle d'un verdict final d'innocence ou de culpabilité. Dans le cadre de la discipline, le verdict du jugement esthétique se conjugue mal avec le processus d'interprétation qu'il tend à remplacer plus souvent qu'il ne le complète.

On peut donc situer les limites de l'interprétation, non pas en termes de finalité mais en termes relatifs à chaque auteur à qui il revient, plus particulièrement dans ce recueil, d'indiquer à travers ses méthodes et préférences les frontières de la discipline telle qu'il la définit, ainsi que les critères auxquels il se fie pour différencier l'interprétation convaincante de l'inacceptable spéculation. Puisqu'il s'agit pour chaque auteur d'exposer sa méthode interprétative, je me dois de définir les principes qui limitent la mienne. Ils sont au nombre de deux:

1) l'analyse interprétative est à mon avis inconciliable avec une histoire de l'art axée sur les classements, les jugements et les verdicts. Les auteurs qui s'intéressent aux œuvres d'art pour juger du talent de l'artiste ou de ses contemporains (et montrer qu'ils ont du goût et savent distinguer le vrai du faux, le bon du mauvais) sont en général si occupés à juger les œuvres qu'ils en oublient de les interpréter. Alors qu'il me paraît acceptable ou même désirable de spéculer sur les significations possibles d'une œuvre, même et surtout si elles dépassent ce que l'on peut imaginer de l'intention de l'artiste, il est à mon avis tout à fait superflu d'en juger la qualité.

2) l'interprétation dépasse les limites de ma méthode lorsqu'elle traverse l'œuvre pour dériver d'éléments qui lui sont uniquement étrangers, c'est-à-dire lorsqu'est établie une notion d'équation, d'équivalence, de reflet qui oppose l'œuvre, devenue transparente,

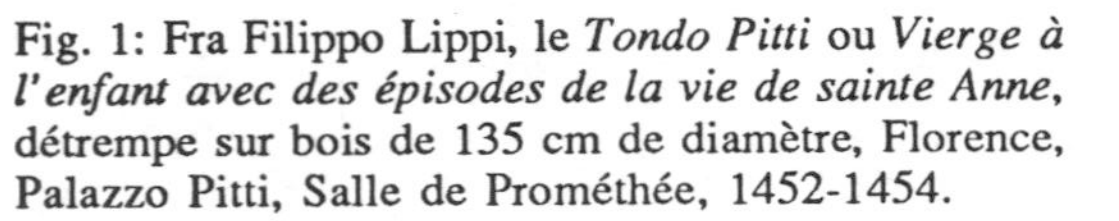

Fig. 1: Fra Filippo Lippi, le *Tondo Pitti* ou *Vierge à l'enfant avec des épisodes de la vie de sainte Anne*, détrempe sur bois de 135 cm de diamètre, Florence, Palazzo Pitti, Salle de Prométhée, 1452-1454.

Fig. 2: Fra Filippo Lippi, le *Tondo Pitti*, détail de la partie de droite.

au modèle établi par l'auteur. Alors que l'œuvre est considérée comme transparente au modèle qu'elle réussirait plus ou moins habilement à reproduire, le modèle lui-même ne constitue en fait que le reflet de l'idée préconçue de l'auteur[26]. Sans oublier qu'une interprétation est toujours spéculative, il me semble qu'elle n'est valable que lorsqu'elle découle de l'œuvre elle-même, plus précisément des aspects formels qui la composent.

Anne et Joachim, Lucrezia et Filippo

Une brève analyse du *Tondo Pitti* (détrempe sur bois de 135 cm de diamètre) [fig. 1], peint par Fra Filippo Lippi, moine carmélite né à Florence vers 1406 et mort à Spolète en 1469, servira pour terminer à illustrer la méthode qui prend ces deux principes pour limites. Au lieu de juger de la qualité de la représentation de la perspective pour classer l'œuvre dans une histoire de l'art linéaire et progressive, on peut tenter de l'interpréter en établissant un rapport entre les choix formels qu'elle présente et le déroulement de la narration. Un grand X découpe l'espace circulaire du *Tondo* en quatre zones triangulaires de temporalité et de statut différents, délimitées à la fois par leur positionnement relatif, par des cadres architecturaux ainsi que par des angles de vue et des proportions variés. La zone du fond à droite [fig. 2], représentant l'épisode le plus reculé dans le temps — le moment où Anne reçoit Joachim —, est suivie à gauche de la Naissance de Marie. Un peu plus en avant, et placée à droite de manière à créer une trajectoire en zigzag, une scène dont le sujet la relie à son pendant de gauche (on retrouve la porteuse de présents dans la plupart des scènes de naissance de l'époque) en est tout de même séparée, à la fois par la présence de Marie et par l'utilisation de proportions relativement réduites. Cette distinction souligne le statut terrestre des personnages situés à droite par rapport aux protagonistes sacrés des autres épisodes du tondo. La Vierge à l'enfant monumentalisée occupe le triangle inférieur du tondo et, placée en icône de manière frontale et centrale à l'avant-plan, elle accroche l'attention du spectateur comme pour le prendre à témoin de ce qui s'est passé. La ligne brisée qui mène d'Anne au Christ montre une série de quatre scènes qui réfèrent chacune à une conception ou à une naissance.

Alors que la Vierge et les protagonistes des deux scènes bibliques du fond sont aisément reconnaissables, l'identité de la femme en rouge située à l'extrême droite de la composition demeure mystérieuse. Quoique son regard soit détourné de celui du spectateur, elle rappelle par sa position dans le tableau une tradition de l'époque, à laquelle Lippi lui-même adhère, qui consiste à inclure des portraits ou des autoportraits sur le côté, plus souvent droit, de la composition[27]. L'inclusion de cette simple mortelle parmi des personnages bibliques essentiellement procréateurs et géniteurs l'associe à l'image de la Femme, épouse et mère, inaccessible au moine carmélite vivant au couvent depuis ses huit ans. Cette mise en contexte de la procréation, qui rappelle l'opposition entre la Vénus sacrée et la Vénus profane, pourrait être interprétée comme un regret des plaisirs de la chair et de la paternité, interdits à Lippi qui avait prononcé ses vœux alors qu'il n'était qu'un adolescent[28]. Ce regret devait d'ailleurs être attisé par la présence au monastère d'une jeune nonne du nom de Lucrezia Buti[29] dont il s'inspirait, comme il le fait ici, pour représenter la Vierge[30]. Sachant par des documents publiés par Eve Borsook qu'en date du 16 avril 1453, ce tondo n'était pas encore terminé (Lippi dut pour cela payer une amende à son commanditaire, un riche négociant du nom de Leonardo Bartolini), on peut supposer que Lucrezia, qu'il connaissait depuis 1452, incarne aussi la femme en rouge et manifeste déjà le désir du peintre de s'unir à elle. Ce désir, il le réalisera quelques années plus tard, en 1456, lorsqu'il s'enfuit avec elle du monastère[31].

Le *Tondo*, n'étant pas encore achevé en 1453, alors que Lippi et Buti se connaissent déjà, il est fort probable que la Vierge et la femme en rouge soient toutes deux représentées par les traits de Lucrezia. Il est moins sûr que la naissance de leur premier enfant, Filippino, ait précédé la dernière touche de l'œuvre, justifiant la présence du jeune garçon accroché aux jupes de la femme en rouge. Cependant, même si l'on se limite à croire que la femme en rouge du *Tondo* n'est pas Lucrezia mais seulement un symbole féminin, ce personnage ne représente pas moins, par son association à la Vierge mère dont elle serait le pendant profane, la légitimation de l'idée du mariage et de la procréation. Alors que l'association entre l'abstinence du chaste époux de Marie et un Lippi que la légende présente comme un coureur de jupons sert mal cette légitimation[32], la scène du fond à droite remplit cette fonction de manière plus persuasive. En effet, l'appartenance de Lippi à l'ordre carmélite, sympathique aux dominicains et en litige avec les franciscains qui croyaient à la nature immaculée de la Vierge, lui permettait d'associer la naissance de Marie à une union consommée ou «concupiscente» entre ses parents, Anne et Joachim[33].

Cette suggestion pouvait renforcer une fois de plus la légitimité pour Lippi d'une union maritale de laquelle, selon l'exemple des parents de la Vierge, il aurait été dommage de se priver. La femme en rouge partage d'ailleurs la zone de droite avec Anne et Joachim, chaque groupe formant un côté du triangle de droite; elle forme aussi le sommet d'un autre triangle de trois femmes «à l'enfant», qui occupe la moitié du *Tondo* et dont la base est perpendiculaire à la scène «concupiscente». Cette interprétation qui ne cache pas sa dimension spéculative présente de surcroît un double avantage en ce qu'elle n'obstrue l'œuvre ni par d'inutiles jugements de valeur esthétiques ni par l'utilisation de la notion de reflet puisque l'interprétation découle en premier lieu de ses aspects formels.

QUELQUES RÉFÉRENCES

ANDERSON, Arthur J., *The Joyous Friar, The Story of Fra Filippo Lippi*, New York, F. A. Stokes Co., 1927.

BORSOOK, Eve, «Fra Filippo Lippi and the Murals of Prato Cathedral», *Mitteilungen des Kunsthistorischen in Florenz*, 1975.

ECO, Umberto, *The Limits of Interpretation*, Bloomington and Indianapolis, Indiana University Press, 1990, p. 44 à 63.

CARRIER, David, «Erwin Panofsky, Leo Steinberg, David Carrier: The Problem of Objectivity in Art Historical Interpretation», *The Journal of Aesthetics and Art Criticism* 1989, p. 333 à 347.

Centre Georges-Pompidou, *Erwin Panofsky, Cahiers pour un temps*, Paris, Pandora, 1983.

FERRETTI, Silvia, *Cassirer, Panofsky and Warburg, Symbol, Art and History*, trad. R. Pierce, New Haven & London, Yale U. P., 1989 (1984).

FOSSI, Gloria, *Filippo Lippi*, Italia, Scala, 1989.

GINZBURG, Carlo, *Mythes, emblèmes, traces. Morphologie et histoire*, trad. M. Aymard, C. Paolini, E. Bonan et M. Sancini Vignet, Paris, Flammarion, 1986.

HASENMUELLER, Christine, «Panofsky, Iconography and Semiotics», *The Journal of Aesthetics and Art Criticism* 1978, p. 289 à 301.

MARCHINI, Giuseppe, *Filippo Lippi*, Milano, Electra Editrice, 1979.

MARIN, Louis, «Filippo Lippi à Prato» *in Opacité de la peinture, Essais sur la représentation au Quattrocento*, Paris, Usher, 1989.

STEINBERG, Leo, «Leonardo's Last Supper», *Art Quaterly* 1973, p. 297 à 410.

STRUTT, Edouard, *Fra Filippo Lippi*, New York, AMS, 1972.

TOZZINI Cellai, Valeria, *L'arte del Rinascimento, Filippo Lippi*, Prato, Edizioni del Palazzo, 1986.

WIRTH, Jean, *L'image médiévale, Naissance et développements* (VIe-XVIe siècle), Paris, Méridiens Klincksiek, 1989.

Notes

1 Ce texte constitue le septième et dernier chapitre d'une thèse de doctorat «par articles» intitulée «De la notion de progrès artistique» et dirigée par Alain Laframboise et Bruno Roy. La thèse sera déposée en 1994, à l'Institut d'études classiques et médiévales de l'Université de Montréal.

2 L'article de Panofsky était d'abord paru, sous le même titre, dans *The Meaning of the Humanities*, Princeton, Princeton University Press, 1940, p. 89 à 118. Il paraît quinze ans plus tard dans *Meaning in the Visual Arts*, Chicago, University of Chicago Press, 1955, p. 1 à 25.

3 L'article sur l'iconographie, «Iconography and Iconology: An Introduction to the Study of Renaissance Art», *Meaning in the Visual Arts*, p. 26 à 54, paraissait en 1939, en premier chapitre aussi, et constituait le seul texte méthodologique de *Studies in Iconology*, un recueil rassemblant des analyses essentiellement iconographiques.

4 Le chapitre second de *Meaning in the Visual Arts* porte sur l'histoire des théories des proportions humaines comme reflétant l'histoire des styles; les troisième et septième chapitres portent sur l'abbé Suger, Titien, Vasari, Dürer et Poussin.

5 «Nine days before his death, Emmanuel Kant was visited by his physician. Old, ill and nearly blind, he rose from his chair and stood trembling with weakness and muttering unintelligible words. Finally his faithful companion realized that he would not sit down again until the visitor has taken a seat. This he did, and Kant then permitted himself to be helped to his chair and after having regained some of his strength, said, "Das Gefühl für Humanität hat mich noch nicht verlassen" — "The sense of humanity has not yet left me."», Panofsky, «The History...», p. 1.

6 «It is not so much a movement as an attitude which can be defined as the conviction of the dignity of man, based on both the insistence on human values (rationality and freedom) and the acceptance of human limitations (faillibility and frailty)...», Panofsky, «The History...», p. 2.

7 Pour ne citer qu'un exemple: «From the Humanistic point of view, however, it became reasonable, and even inevitable, to distinguish, within the realm of creation, between the sphere of *nature* and the sphere of *culture*, and to define the former with reference to the latter, *i. e.*, nature as the whole world accessible to the senses, except for the *records left by man* (italiques de l'auteur)», Panofsky, «The History...», p. 4 et 5.

8 Panofsky, «The History...», p. 3. Il présente l'historien de l'art comme le séduisant et digne successeur, en lignée directe, des ancêtres humanistes, Cicéron, Érasme ou Pico della Mirandola.

9 «The Middle Ages accepted and developed rather than studied and restored the heritage of the past. They copied classical works of art and used Aristotle and Ovid much as they copied and used the works of contemporaries. They made no attempt to interpret them from an archeological, philological or "critical", in

short from an historical, point of view. For if human existence could be thought of as a means rather than an end, how much less could the records of human activity be considered as values in themselves.» Panofsky, «The History...», p. 4. Suite à cette quasi-complainte, le lecteur apprend, quelques paragraphes plus loin, sur la page d'à côté, que l'homme est le seul animal à laisser des documents («records») derrière lui. L'association entre ces deux paragraphes laisse aux artisans et aux lettrés du Moyen Âge peu de l'aura dont sont dotés leurs confrères passés et à venir.

10 Panofsky tenait un poste de professeur invité à NYU depuis 1931. En 1934, il enseigne à l'Institute for Advanced Studies de l'Université de Princeton. Au sujet de sa biographie, voir William Heckscher, «Erwin Panofsky: A Curriculum Vitae, Hannover, 30 March 1892-Princeton, 14 March 1968», Princeton University, pamphlet de 21 pages, Mudd Archives, Princeton. Voir aussi *A Commemorative Gathering for Erwin Panofsky at the Institution of Fine Arts*, New York University, 1968, par *The Record of the Art Museum*, Princeton University, vol. XXVIII, n° 1, 1969 (dossier sur Panofsky *in*: Departments: *Art and Archeology*, Mudd Archives, Princeton). Pour des références plus brèves et plus accessibles, voir Germain Bazin, *Histoire de l'histoire de l'art, de Vasari à nos jours*, Paris, Albin Michel, 1986, p. 215-218 et *The Oxford Companion to Art*, Harold Osborn, éditeur, Oxford, Clarendon Press, 1987, p. 810.

11 «If the anthropocratic civilization of the Renaissance is headed, as it seems to be, for a "Middle Ages in reverse" — a satanocracy as opposed to the mediaeval theocracy — not only the humanities but also the natural sciences, as we know them, will disappear, and nothing will be left but what serves the dictates of the subhuman. But even this will not mean the end of humanism. Prometheus could be bound and tortured, but the fire lit by his torch could not be extinguished.» Panofsky, «The History...», p. 25.

12 On retrouve chez Panofsky ce sentiment de nostalgie dans la deuxième partie de son texte sur l'iconographie où il cherche, dans le Moyen Âge, la pureté «classique», qui selon lui se manifeste par une cohérence entre le motif et le sujet classique. Panofsky, «Iconography...», p. 40-54.

13 Panofsky, «The History...», p. 5.

14 La méthode qui consiste à développer une hypothèse et ensuite à soumettre différentes époques de l'histoire à la vérification de cette hypothèse est utilisée dans plusieurs de ses ouvrages, comme l'article sur les proportions, *La perspective comme forme symbolique*, *Idea*... À ce sujet, voir Olga Hazan, «De la notion de progrès artistique chez Wölfflin, Panofsky et Gombrich», *in* Marie Carani, éditeure, *De l'histoire de l'art à la sémiotique visuelle*, Bibliothèque nationale du Québec, Septentrion, 1992, p. 85 à 111.

15 Voir par exemple, Aloïs Riegl, *Grammaire historique des arts plastiques*, trad. E. Kaufholz, Paris, Klincksiek, 1978 et Heinrich Wölfflin, *Classic Art, An Introduction to the Italian Renaissance*, trad. P. et L. Murrey, Ithaca, New York, Cornell University Press, 1980 (1899) et *Principles of Art History, The Problem of the Development of Style in Later Art*, trad. M. D. Hottinger, New York, Dover Publications, 1950 (1915).

16 Panofsky, «The History...», p. 8 à 10.

17 Panofsky utilise aussi l'idée de parenté entre deux aspects d'une même culture, entre l'architecture et la pensée scolastique, par exemple (*Gothic Architecture and Scholasticism*, New York, Meridian, 1951) ou entre la conception de l'espace en perspective et la différenciation entre le subjectif et l'objectif (*La perspective comme forme symbolique*, Paris, éd. Minuit, 1975, et «Iconography...», p. 51). Au-delà de ces équations, pour Panofsky, ces rapports sont des rapports de force puisque c'est de manière irrémédiable qu'il y voit les causes engendrer les effets et le *kunstwollen* s'imprimer sur des œuvres-reflets (voir «The History of the Theory of Human Proportions as a Reflection of the History of Styles», *in Meaning in the Visual Arts*, p. 55 à 107).

18 Pour Panofsky, le travail de l'historien de l'art consiste à repérer l'interprétation «correcte» de l'œuvre (le mot revient plusieurs fois en p. 30 et 33). Il admet cependant la vulnérabilité de la position de l'historien de l'art comme détenteur du savoir. Ce dernier doit toujours consulter des documents pour compléter ses connaissances du contexte historique de l'époque. Panofsky, «Iconography...», p. 35 et 41.

19 Voir Jean Wirth, *L'image médiévale, Naissance et développements* (VIe-XVIe siècle), Paris, Méridiens Klincksiek, 1989, p. 16-17; Jean Molino, «Allégorisme et iconologie, Sur la méthode de Panofsky» et Jean Arrouye, «Archéologie de l'iconologie» *in* Centre Georges-Pompidou, *Erwin Panofsky, Cahiers pour un temps*, Paris, Pandora, 1983, p. 27 à 47 et 71 à 83.

20 Steinberg démontre que l'image réfère à divers moments de la vie du Christ et de ses disciples; alors que la position du Christ référerait à la fois à l'institution de l'eucharistie, au moment où il pressent qu'il sera trahi, au jugement dernier et à la crucifixion; les apôtres indiqueraient, aussi par leurs positions, les moments importants de leur vie future, Leo Steinberg, «Leonardo's Last Supper», *Art Quaterly* 1973, p. 297 à 410.

21 Umberto Eco, «*Intentio Lectoris*: The State of the Arts», *in The Limits of Interpretation*, Bloomington and Indianapolis, Indiana University Press, 1990, p. 44 à 63.

22 Sur cette question, voir Eco, «*Intentio Lectoris*...», p. 50 à 52.

23 Pour Panofsky, l'œuvre est symbolique ou symptomatique: de la personnalité de l'artiste, d'une civilisation ou d'une attitude face à la religion. Panofsky, «Iconography...», p. 31.

24 La question de l'intentionnalité de l'artiste ne peut cependant être tranchée clairement dans cette analyse comparative. Alors que Panofsky semble considérer Leonardo comme porté malgré lui à refléter son époque («Iconography...», p. 31), Steinberg semble considérer les choix de Leonardo comme des choix conscients qu'il ne cherche cependant pas à reconstituer. L'attitude de Steinberg est à mon avis plus intéressante parce qu'elle permet de considérer les choix de l'artiste sans s'égarer dans d'hypothétiques intentions; c'est l'œuvre elle-même qui est l'objet de l'interprétation.

25 Bien qu'il revienne à chaque auteur de tracer les limites de la discipline telle qu'il la comprend, il existe évidemment des consensus entre théoriciens appartenant à une même tendance. Entre les sémiologues et les «connoisseurs»

partisans d'une discipline scientifique sœur de l'archéologie, par exemple, il existe des controverses quant à la validité de la reconstitution du point de vue historique. Ce qui pour les uns constitue le cœur de la discipline pourra être considéré par les autres comme secondaire.

26 Sur le concept de transparence, voir Philippe Junod, *Transparence et opacité*, Lausanne, L'âge d'homme, 1976 et Louis Marin, *Opacité de la peinture, Essais sur la représentation au Quattrocento*, Paris, Usher, 1989.

27 Voir par exemple l'*Adoration des Mages* de Botticelli (Uffizi, début des années 1470), les fresques de Ghirlandaio à Santa Trinità (Chapelle Sassetti, Florence, 1483-1486) et la *Déposition* de Pontormo (Santa Felicità, Florence, 1525-1528). Le fait que la dame en rouge ait le dos tourné peut être interprété comme un signe de son statut fictif ou projeté. Le regard de l'enfant attaché aux jupes de la dame en rouge, dirigé vers le spectateur, indique qu'il s'agit probablement d'un autoportrait du peintre qui se représente ici «en famille», alors qu'en réalité il était orphelin depuis l'âge de deux ans. L'idée qu'il pouvait combler ce manque en se dégageant de la vie religieuse pour fonder une famille se verrait confirmée par le nom qu'il choisit de donner à son fils en 1457, Filippino, c'est-à-dire le petit Filippo.

28 Filippo avait vécu au monastère carmélite de santa Maria del Carmine et prononçait ses vœux à quinze ans. Pour des informations biographiques, voir Emmanuel Benezit, *Dictionnaire critique et documentaire des peintres, sculpteurs, dessinateurs et graveurs de tous les temps et tous les pays par un groupe d'écrivains spécialistes français et étrangers*, vol. 6, Paris, Gründ, 1976, édition révisée, p. 688.

29 Lorsqu'ils se sont connus au monastère de Santa Margherita à Prato, vers 1452, Filippo Lippi qui venait d'entrer au monastère avait 46 ans et Lucrezia Buti qui y était depuis 1451 en avait 19. Au sujet des amours de Lippi et de Lucrezia et des portraits de cette dernière, voir A. J. Anderson, *The Joyous Friar, The Story of Fra Filippo Lippi*, New York, F. A. Stokes Co., 1927. Pour des références à des documents officiels, voir Eve Borsook, «Fra Filippo Lippi and the Murals of Prato Cathedral», *Mitteilungen des Kunsthistorischen in Florenz*, 1975, p. 1 à 142; Giuseppe Marchini, *Filippo Lippi*, Milano, Electra Editrice, 1979 et Edouard Strutt, *Fra Filippo Lippi*, New York, AMS, 1972, p. 177 à 191.

30 Pour ce qui est de l'identification de Lucrezia dans les peintures de Lippi, Valeria Tozzini reconnaît dans la *Madone à l'enfant avec deux anges* qui se trouve aux Uffizi le portrait de Lucrezia et de leur fils Filippino; une erreur dans son ouvrage associe cependant sa légende au *Tondo* plutôt qu'au tableau des Uffizi qu'elle pensait décrire. Valeria Tozzini Cellai, *L'arte del Rinascimento, Filippo Lippi*, Florence, Edizione del Palazzo, Prato, 1986, p. 162. Frederick Hartt, dans son *Italian Renaissance Art* (1983, p. 226 à 227), associe lui aussi Marie à Lucrezia dans ce même tableau qu'il date de 1455, alors que Tozzini le date des environs de 1460. Il reconnaît aussi Lucrezia dans le *Tondo* qu'il date des environs de 1452. À la même époque, Lucrezia a posé pour Filippo qui, assisté de Fra Diamante, peignait le tabernacle de la *Madonna della Cintola* (Strutt, p. 103 et 107).

31 Eve Borsook, doc. 55 et 64. Lippi et Lucrezia se sont enfuis du couvent en 1456, suivis de près de Spinetta, la sœur de Lucrezia et de trois autres nonnes. En 1457, Lucrezia accouchait d'un premier enfant, Filippino, qui fut suivi d'une petite sœur, Alessandra, en 1465. Lippi, qui avait peut-être été torturé à cause de sa liaison avec Lucrezia, ne put obtenir la dissolution de ses vœux que grâce à l'intervention en 1461 de Cosimo Medici auprès du pape Pie II Piccolomini qui lui accorda la permission de se marier. André Chastel, traduction des *Vite* de Vasari, vol. 3, Paris, Berger-Levreault, 1983, n° 23, p. 425.

32 Vasari qui décrit le peintre comme un homme «d'un tempérament très amoureux», qui aurait donné toute sa fortune pour une femme qui lui plaît, rapporte une anecdote selon laquelle Cosimo Medici, «qui lui avait donné à faire une œuvre dans son palais, l'y enferma pour qu'il n'aille pas perdre son temps dehors; mais lui, au bout de deux jours à peine, poussé par sa fureur amoureuse ou plutôt bestiale, prit un soir une paire de ciseaux, coupa les draps de son lit en bandes, s'évada par une fenêtre et s'adonna plusieurs jours à ses plaisirs...». Vasari, traduction des *Vite* dirigée par Chastel, p. 417.

33 Les franciscains avaient l'habitude de représenter la rencontre d'Anne et Joachim à la porte dorée comme le moment où, par un seul baiser, les deux époux conçoivent Marie (voir les fresques de Giotto à la chapelle Scrovegni). James Hall, *Dictionary of Subjects and Symbols in Art*, édit. rév., New York, Harper & Row, 1979, p. 170 et 326. Lippi présente ici une association inusitée entre l'accouchement d'Anne et la réunion des époux et rassemble les différentes scènes de la narration dans un cadre domestique qui contribue à donner à l'œuvre un aspect d'intérieur familial. On retrouve par ailleurs chez Lippi la même opposition entre l'Immaculée Conception et un acte concupiscent dans une *Annonciation* de Lippi (Rome, Galerie nationale d'art ancien) où un jeune couple, comme Anne et Joachim dans le *Tondo*, gravit sur le côté droit de la composition des marches qui semblent mener à un endroit privé.

Ferrante Imperato Museo, Naples, 1599.

Charles Wilson Peale Museum, Philadelphie, 1784.

Les jalons de l'idée de musée au Québec

LOUISE LETOCHA

Au cours de l'élaboration des paramètres de la recherche sur l'idée de musée au Québec (1824-1988), nous avons été confrontés aux difficultés de saisir l'objet de notre étude en raison de son amplitude. Le musée peut-il être appréhendé comme établissement architectural, comme institution sociale ou à travers ses collections, autant de biais pour lesquels les méthodologies sont peu développées ou encore inexistantes? En somme, le projet de recherche a soulevé une question méthodologique à laquelle le texte qui suit tente modestement de répondre puisque l'histoire dite «générale» a, jusqu'à maintenant, emprunté la voie sociologique ou monographique sans que la spécificité du lieu ne soit considérée déterminante pour distinguer l'originalité de ce lieu par rapport à d'autres types de lieux dans la société occidentale.

Notre effort a consisté à poser de manière schématique et empirique le musée comme un système dont il fallait dégager les constituantes de son organicité. Et, comme la constitution de ce lieu est multiple, nous avons cherché à dégager les paramètres des éléments qui fondent sa spécificité en faisant valoir le problème méthodologique qu'entraîne ce type d'exercice.

Le texte a fait l'objet, par ailleurs, d'une communication dans le cadre du congrès international d'ICOM, en septembre 1992, à Québec.

Il nous apparaît encore opportun de rappeler que le terme de musée tire son origine à la fois d'une colline d'Athènes, nommée en l'honneur de l'ancien poète Musée, fils d'Eumolpas et d'un bâtiment d'Alexandrie érigé à la magnificence des Ptolémées, protecteurs des lettres au Ier siècle av. J.-C. Non pas pour en retracer l'étymologie mais pour faire ressortir qu'à son origine, le mot n'accompagne pas un concept défini mais qu'il combine plus d'une notion oscillant entre le site et l'architecture et l'activité menée depuis l'intérieur du bâtiment. D'ailleurs, nous observons qu'à la suite d'un même bref rappel historique, qui est repris au dictionnaire de Trévoux de 1734, par l'auteur de la rubrique «Musée» dans *L'Encyclopédie* de Diderot, ce dernier n'omet pas de faire allusion au sens étendu reçu sous ce vocable: «on l'applique aujourd'hui à tout endroit où sont renfermées des choses qui ont un rapport immédiat aux arts et aux musées. Voyez Cabinet[1].» Un renvoi à un autre article de *L'Encyclopédie* pour compléter l'information ne nous fournit pas un plus grand éclairage sur la chose musée en soi puisque cette fois, la désignation devient double: celle d'un lieu, d'une pièce retirée dans une habitation, dans une architecture contenant des objets dignes de curiosité. Et encore, le sens du nominatif est étiré jusqu'à rejoindre l'idée de collection. Il semble que chacun de ces substantifs ait en commun une double dénotation, celle d'un lieu et celle d'une collection d'objets. Il est à remarquer, d'ailleurs, que dans la langue allemande, on accompagne le substantif *Kammer* ou *Kabinet* d'un préfixe qui précise la nature de la ou des collection(s); ainsi nous pouvons lire *Wunderkammer*, *Kunstkammer*. De cette manière, le lieu de la collection est désigné de même que le type de collection. En regard de cette remarque, nous sommes enclins à penser que la langue germanique, par l'adjonction de deux termes, a répondu à l'ambiguïté dénominative par la formation d'un néologisme qui renvoie à la fonction et à la spécificité du lieu.

Comme nous le savons, le sens actuel du mot musée proviendrait du XVe siècle alors que l'appellation latine de *museum* est utilisée pour décrire une collection, comparable à celle constituée par les sœurs des Médicis du temps de Laurent le Magnifique[2]. Superposition du lieu et des objets pour référer à un lieu contenant des choses multiples qui sont réunies selon les caprices de la curiosité ou du savoir. Il faut retenir de cette étymologie que ni le musée ni la collection ni le terme de cabinet ne sont désignateurs d'un seul référent mais qu'ils sont doubles dans leur axiologie et que nous ne saurions les employer en aspirant développer une quelconque historiographie sans qu'à notre tour, nous redoublions, nous répétions les ambiguïtés qu'ils véhiculent et les multiples sens qu'ils recouvrent. La littérature sur les musées fait un usage courant du terme musée sans égard pour une nécessité de précision lors de son emploi. Le recours à l'étymologie fait ressortir que traiter de musée, c'est se référer à plus d'un entendement d'une chose et, que cette chose est aussi bien un lieu physique qu'un établissement comprenant des activités reliées à la connaissance et à la contemplation. Surtout, nous constatons que l'histoire des musées en Europe se réfère à deux concepts principaux hérités de l'Antiquité gréco-latine: celui de *Mouseion* — temple des Muses, lieu d'inspiration, de contemplation et d'étude au sens d'échanges entre érudits, et celui de *Museum*, qui est un bâtiment d'Alexandrie, décrit comme orné de portiques et de galeries pour se promener, de grandes salles pour conférer des matières de littérature et d'un salon particulier où les savants se réunissaient pour des agapes. Ces concepts ont servi à ériger une représentation et une définition de la fonction du lieu qui sera reprise dans le monde moderne, à partir de 1470, alors que le terme musée est utilisé pour décrire une collection et que celle-ci sert de relais à un savoir dont on cherche à circonscrire les frontières.

Des trois temps de cette terminologie, c'est le sens latin de *museum* qui fournit une orientation à la fonction de l'architecture et, de l'époque de la Renaissance dont nous héritons d'une superposition du lieu à la collection pour livrer à l'époque moderne un substantif désignateur d'un lieu architectural dédié à la cause de l'érudition, un contenant dans lequel se retrouve un contenu, la collection.

Le concept de musée auquel il est fait allusion couramment, et dont la définition de l'ICOM de 1974 peut servir d'exemple, se rapporte à un type d'institution, d'ordre public, à un statut permanent de l'établissement et à son rôle social. Ce n'est qu'en deuxième lieu que cette définition traite de la responsabilité à l'égard des collections, de leur sauvegarde et de leur mise en valeur (distinction entre la fonction du lieu et son contenu).

On exploite alors le sens moderne du lieu, l'institution entendue comme un lieu public dédié à une cause, un type d'institution qui fait son apparition dans l'histoire à partir de 1523 et de 1583 alors que, selon l'histoire, une collection, dans la République de Venise, est rendue publique par les soins de la famille Grimani; cette collection formera par la suite le fonds du Musée archéologique de Venise[3].

Cette révision historique nous évite une acceptation trop nominale d'un dénominateur qui, en fait, recouvre plus d'un référent et qui s'alourdit au cours des siècles d'un ensemble de significations qui, chacune en soi, peuvent dénoter une réalité différente l'une de l'autre. Sur le plan de la connotation, ces multiples significations ont fourni au terme musée une contextualité qui a érigé en valeur symbolique les objets et le lieu qui les contient. Non seulement nous avons à suivre au cours de toute recherche la référence lexicale qui est employée dans les textes que nous avons à parcourir, mais surtout, nous avons à retenir quelles associations sont faites à partir des sens dérivés de ces nominatifs.

Krzysztof Pomian a dégagé quatre modèles à l'origine d'une typologie des musées. Il reconnaît une idée principale de musée qui est empruntée au sens latin de *museum*, à laquelle il greffe trois modèles: le modèle *révolutionnaire*, le modèle *énergétique* et le modèle *commercial*. Il est à noter que l'auteur utilise une définition, celle fournie par l'Antiquité romaine, alors que ce sont les modes de constitution des collections qui forment les caractéristiques des trois autres modèles. C'est par ce biais qu'il conclut que:

> La distinction des quatre modèles de formation des musées publics ne débouche donc pas sur une typologie des musées. Son intérêt est ailleurs: elle permet d'intégrer l'histoire des musées dans l'histoire générale, plus exactement dans une histoire à la fois politique, culturelle, sociale et économique[4].

Nous verrons plus loin en quoi cette affirmation de Pomian relève du «défi muséologique».

L'hypothèse de dégager une idée de musée par rapport à une histoire «générale» — et qu'est-ce qu'une histoire générale — du Nouveau Monde nous entraîne dans une voie épistémologique où nous avons à réviser à la fois l'étymologie à la base de l'énonciation du concept et les modalités qui ont conduit à son assertion dans l'histoire, celle du monde occidental puisque ce sont ses concepts qui nous furent transmis à deux époques coloniales du Nouveau Monde, ces périodes d'établissement de notre société. Car il faudra rajouter aux quatre modèles initiaux dégagés par K. Pomian un cinquième qui est celui du *musée universitaire*. Germain Bazin dans *Le temps des musées* (1967) laisse entendre que «l'idée de musée universitaire est un genre d'institution presque inconnu en Europe, sauf en Angleterre et en Italie et [qu']il a pris forme dans les premières décades du XIXe siècle[5]». Si c'est le cas, la création de musées (au sens de cabinet d'étude) à l'Université Laval s'établirait dans une concordance de temps avec l'implantation du modèle en Europe. Mais, surtout, ce qui ressort d'important, c'est que la formulation de modèles, qui est un phénomène présent dans l'histoire «générale» européenne, nous sert d'indice opératoire pour aborder la notion de musée dans le Nouveau Monde.

Le Musée du Séminaire, un musée universitaire

Ainsi, nous ne poserons pas d'emblée que l'idée de musée et de collection est affirmée par un substantif fini et intégré par les multiples textes des archives d'une manière unilatérale. Dans cette voie et pour les fins de cette étude, nous alignons un premier postulat, celui que le musée n'est pas une entité arrêtée dans le temps par des civilisations et des époques antérieures. Mais nous avancerions plutôt que le musée est un système malléable et qu'il peut constituer une représentation, dans le cadre d'une société donnée, d'un mode d'organisation issu d'une collectivité. Affirmer que le musée fait système, c'est avancer que son entité est décomposable en des niveaux d'articulation et que ceux-ci sont saisissables dans une analyse structurelle.

Ce que nous connaissons sous l'appellation de Séminaire de Québec ou Musée du Séminaire sera pour certains une nouvelle aile attenante à l'ancienne architecture du Séminaire de Québec, datant du XVIIe siècle. Or, ce musée ne peut être entrevu que dans cette phase actuelle d'aboutissement de son évolution qui le présente détaché, ne serait-ce qu'architecturalement, d'un contexte institutionnel qui, pourtant, fut déterminant pour son développement. Il est en effet essentiel de replacer dans l'univers d'une institution d'enseignement le développement de ces collections pour lesquelles, d'ailleurs, le terme de musée sert à les désigner très tôt dans l'histoire de l'Université Laval. L'élaboration d'une série de collections qui alimenteront plus tard le fonds du Musée du Séminaire s'est échelonnée sur une période de plus d'un siècle.

Le Séminaire ou Petit Séminaire est un collège classique fondé en 1663 par Mgr de Laval et qui sera intégré en 1852-1854 à l'Université Laval, elle-même fondée sur le modèle de l'Université Louvain. Pour ce qui a trait à des collections constituées antérieurement à l'obtention d'une charte par l'Université Laval, le *Mémorial de l'Éducation du Bas-Canada* rédigé par J.-B. Meilleur en 1876 nous confirme que:

> Le cabinet de physique à l'usage des arts est celui du Séminaire et n'a pas moins coûté de 14,000 piastres.

> Outre ce cabinet, un musée géologique et de minéralogie comprennent plus de 2,000 échantillons à l'usage des élèves, et l'Université a destiné de vastes salles pour la complétion d'un cabinet d'histoire naturelle. Le tout y est coordonné avec méthode et une magnificence princière[6].

Dès 1806, en effet, un document d'archive témoigne de l'inauguration d'un musée scientifique par les abbés Jérôme Demers et Félix Gatien (Archives du Séminaire 56 n° 89). Et selon un annuaire de l'Université Laval daté de 1909, nous pouvons repérer une liste de musées impressionnante:

Musée de peinture	— une collection de tableaux et de gravures provenant du grand et petit séminaire, — la collection de feu Joseph Légaré (272 œuvres sont dénombrées), XVIIe et XVIIIe italien, et même une œuvre d'El Sheimer.
Cabinet de physique	— Cette collection renferme des instruments ayant rapport à toutes les branches de la physique et servant à démontrer tous les principaux phénomènes et les découvertes les plus récentes. (Une origine française et anglaise est reconnue à ces instruments).
Musée de minéralogie	— Cabinet de minéralogie du séminaire, collection constituée par l'Abbé Hauy, M. Th. Sterny Hunt, professeur à l'Université.
Musée de géologie	— qui contient 2,000 échantillons, — des fonds provenant de la Commission géologique du Canada.
Musée botanique	— représentant les principaux bois du Canada, des champignons artificiels, et les plantes du Canada recueillies par l'Abbé O. Brunet, spécialiste.
Musée zoologique	— des mammifères canadiens, une collection de reptiles donnés par le Museum d'histoire naturelle de Paris. — une collection d'ichtyologie et d'ornithologie.
Musée religieux	— objets reliés («souvenirs pieux») à des personnages religieux.
Musée des invertébrés	— collection entomologique — cette collection n'est visible que pour l'étude caichybiologique

	— 950 espèces de mollusques don du Smithsonian Institute de Washington, et de la Commission géologique du Canada.
Musée ethnologique	— Musée indien
	— collection du Dr Joseph Charles Taché (crânes indiens).
	— Musée chinois et japonais (vases — porcelaines).
Musée numismatique	— 6,000 monnaies dans 26 vitrines.

LABORATOIRE DE CHIMIE

Ces musées et cabinets sont rattachés à la Faculté des Arts sauf pour l'École de médecine qui possède sa propre collection de spécimens et d'instruments.

Entre le musée et la collection

De par les liens que cette institution d'enseignement a entretenus soit avec le Musée d'Histoire naturelle de Paris, soit avec le Smithsonian Institute de Washington, et de par la constitution même des différentes collections qu'elle abrite sous son toit, elle confère un statut particulier à ces collections. Le terme musée parfois employé en substitution au vocable cabinet nous renseigne à la fois sur un entendement de la collection et sur sa destinée. N'est-ce pas d'une définition du cabinet que nous nous rapprochons le plus quand nous comparons sa définition à celle de *L'Encyclopédie* (tome 5, p. 656, édition 1778): «sous ce nom on peut entendre les pièces destinées à l'étude ou qui contiennent ce que l'on a de plus précieux, tableaux, livres, bronzes, curiosités[7]». Bien qu'un certain nombre de salles aient été consacrées à abriter ces collections, le lieu dépositaire est d'abord une institution d'enseignement. Le mot musée, ici, recouvre l'idée de collection plutôt que celle du lieu physique, architectural, si ce n'est d'une situation dans un lieu d'étude qui lui-même est architectural mais non pas au sens symbolique, sacralisateur qui accompagne généralement ce terme. Dans un tel contexte, l'article de collection ou sa destinée ne sont pas ambigus. Ceux qui ont réuni les différentes pièces l'ont fait à l'intérieur d'un champ disciplinaire scientifique donné. Cette attitude, cette relation à l'objet oriente d'une part la sélection et, d'autre part, investit les objets de collection d'une fonction spécifique, celle d'agir comme spécimen dans un cadre académique. C'est-à-dire d'être ou d'avoir une présence instrumentale par rapport à un savoir, ce qui détermine la vocation de ces dernières.

En 1889, une réaction du rédacteur du *Naturaliste canadien*, l'Abbé Provencher, appuie cette perspective didactique de la collection:

> Le musée n'est pas destiné à étonner les badauds devant ses étalages, comme on paraît le croire au bureau de l'éducation à Québec, mais bien à former des archives pour tous ceux qui sentant en eux la flamme du feu sacré, voudraient scruter les archives de la science, explorer attentivement ses domaines, et réussir peut-être à en reculer les limites. Chaque spécimen nouveau ajouté à un musée est l'enregistrement d'une nouvelle connaissance acquise et d'une observation plus ou moins utile[8].

Dans ce commentaire, la fonction de l'objet collectionné est évidente. Ce dernier est un spécimen, c'est-à-dire qu'il est un exemple, un échantillon, un modèle d'une dimension ou d'un domaine particulier d'une science par lequel il est souhaité que les limites de la connaissance soient repoussées. Son usage se situe dans le contexte précis d'un rapport au savoir sur lequel est aligné l'objet. De même que la *res naturalis* est spécimen en regard des sciences naturelles, la *res artificiosa* deviendrait exemplaire par rapport à une période de l'histoire de l'humanité. Cette chose permet de figurer un état d'une réalité que l'on veut faire reconnaître par ce biais. L'objet sélectionné à ce titre dessert le discours scientifique dans lequel il vient s'immiscer comme une figure de l'espèce concernée. En effet, l'Abbé Provencher a raison, cette chose n'est pas que l'objet de la cause de l'agrément ou le plaisir des sens, elle sert la cause de la science, elle est objet d'étude. Entre le début et la fin de sa phrase, l'Abbé Provencher englobe une idée de musée qui est celle qui rejoint le cabinet d'étude de par la manière dont il définit l'objet de collection comme un spécimen rattaché à la connaissance. Ainsi, en référence à l'annuaire de l'Université Laval de 1909, nous repérons également les termes de cabinet, de collection, d'échantillon et même en regard du Musée des invertébrés, cette phrase éloquente: «cette collection n'est visible que pour l'étude», ce qui clarifie l'entendement du terme musée comme autant de cabinets pour les fins de l'étude d'une science. Nous avons des réserves, par contre, pour ce qui est du musée de peinture parfois qualifié de pinacothèque, qui sera développé distinctement des autres collections et pour lequel l'entendement du mot musée recouvrira un autre sens.

Cette approche de la collection et d'une fonction du musée dans un mode de traitement de l'objet, en regard du savoir dans le contexte d'une institution d'enseignement, constitue un des jalons significatifs de l'idée du musée dans l'histoire du Québec.

Une interrogation méthodologique

À la fin de l'ouvrage *La muséologie selon Georges-Henri Rivière*[9], André Desvallées, qui cherche à cerner la pensée de Georges-Henri Rivière, revient et sur le terme de musée et sur son acception dans l'histoire pour montrer que le concept de musée n'a pas suivi l'évolution qui s'est produite dans son lieu. Soit que l'acception demeure restrictive par rapport à des démarches, des opérations, des actions menées à l'intérieur du lieu muséal, soit qu'une finalité du lieu, telle qu'entendue dans le vocable musée, ne correspond plus à de nouveaux types de rapports engendrés depuis ce lieu avec un corps social. En revenant sur l'article d'André Desvallées, qui s'intitule d'ailleurs «Le défi muséologique», nous cherchons à faire remarquer que l'auteur met en parallèle le concept de musée, et son évolution, et le développement d'une muséologie[10]. En s'interrogeant avec Bernard Deloche sur l'éclatement des frontières du musée, il pose la «question plus complexe» d'une «muséologie qui devient(drait) la science globale de ce qui est muséalisable — univers et société — et l'étude des rapports entre le contenant et le contenu d'une part, le contenu et les utilisateurs de l'autre peuvent [qui pourraient] aller jusqu'à se confondre». Cette manière de poser la muséologie fait découler d'un élargissement du concept de musée, de sa tâche, une science qui ne serait plus «une science des collections» mais qui deviendrait une «science interdisciplinaire». Cette science toujours en référence aux propos de B. Deloche dans *Museologica*, André Desvallées ajoute qu'elle ne saurait être non plus «la science du phénomène musée, sa seule véritable destination est celle d'une méthodologie se situant au carrefour des données les plus diverses susceptibles de se rencontrer dans le lieu d'accueil qu'est le musée[11]».

Après avoir relaté l'état de la réflexion sur la muséologie, A. Desvallées en vient à cette hypothèse qu'il avait déjà exposée, en 1987, dans *Un tournant de la muséologie*, c'est-à-dire celle d'une «muséologie globalisante», pour laquelle il reprend une définition d'Anna Gregorova:

> La muséologie est une science qui examine le rapport spécifique de l'homme avec la réalité, et consiste dans la collection et la conservation conscientes et systématiques et dans l'utilisation scientifique, culturelle et éducative d'objets inanimés, matériels, mobiles (surtout tridimensionnels) qui documentent le développement de la nature et de la société[12].

Aussi nous arriverions à sortir du lieu musée, du moins d'un concept hérité du siècle des Lumières, pour l'envisager comme un endroit conjoncturel et même conjectural puisqu'il nous conduirait au développement d'une nouvelle science, pour laquelle il serait un des moyens. Comme le pressentait Zbyneck Z. Stransky, de l'école tchécoslovaque (1979): «Je conçois donc le musée dans le cadre du système muséologique, comme une des formes possibles de la réalisation de l'approche de l'homme à la réalité[13].»

Par le biais d'une telle approche, si nous situons une science par rapport au lieu d'où elle émane, la question plus complexe de son objet, qui avait été relevée antérieurement par Desvallées, n'en demeure pas moins en suspens. Cependant, nous devons insister et considérer un apport substantiel à cette réflexion qui est celui de reconnaître la muséologie comme corollaire du musée et d'en faire un système d'organisation et de relations multiples. Sur le plan théorique, nous aurions assisté, en effet, au début des années 80, à une mise en place d'un champ d'application. Peu d'auteurs, par contre, sont revenus sur la question méthodologique. Soichiko Tsuruta (1979) est un des seuls à avoir souligné qu'il était nécessaire de tenter une définition de la muséologie dans laquelle nous retrouvons et l'aspect téléologique, et l'aspect méthodologique par rapport aux musées. Il conçoit aussi la muséologie telle «une combinaison systématique» et nous ajouterions selon les principes logiques d'une combinatoire[14]. Et bien que cet article ait contenu les germes d'une proposition méthodologique exposée, selon les termes de l'auteur, simplement, il a été peu cité pour ce qu'il ajoutait en complémentarité à une hypothèse globalisante de définition de la muséologie.

Riche bien que succincte, la proposition n'était pas moins de l'ordre de la conjecture qui nous offrait des pistes de résolution de plusieurs interrogations sur l'articulation du champ muséologique. Car pour quiconque s'engage dans la voie de la recherche en muséologie, ce n'est pas d'établir la base des faits, pour reprendre une expression à Jean-Claude Gardin, qui constitue une problématique mais bien, d'une part, la corrélation dans l'univers du discours entre la base des connaissances et cette base de faits. Alors que, d'autre part, nous avons à envisager par quelle dynamique s'instaurera la proposition interprétative pour fournir une voie de symbolisation efficace aux faits mis en étude.

La plupart des écrits sur les musées reposent sur un discours historique qui traite de faits ou d'événements relatifs à une fondation d'institution ou, encore, se retrouvent dans l'énoncé spécialisé émis en regard d'une spécificité des objets. Dans la multiplicité de ces approches, peu d'écrits nous permettent d'aborder le rapport entre le contenu et le contenant et encore moins entre le contenant et les utilisateurs, comme nous l'incitait l'hypothèse d'une muséologie globalisante. Par exemple, l'approche sociométrique d'une exposition tient compte surtout de la réception du message de l'exposition par une mesure à la fois quantitative et qualitative reprise aux réponses du visiteur. Et par conséquent, c'est d'abord le message formulé dans la langue naturelle qui est l'objet d'étude, et ensuite, sa perception par le visiteur, l'objet muséifié en soi étant négligé. Mais lorsque nous avons à poser les jalons d'une idée de musée au Québec de 1824 à 1988, nous sommes confrontés à la fois à une multitude d'énoncés de différentes natures, et relevant de champs disciplinaires divers, et à une taxonomie des objets qui est souvent à produire.

Si nous pouvons trouver dans des monographies comme celles des grandes institutions, celle du Louvre ou celle du Royal Ontario Museum, par exemple, des pistes méthodologiques, ces dernières sont plutôt unidirectionnelles dans leurs avancées. Le portrait de l'institution ressort par un processus déductif du lecteur qui rallie le propos biographique aux principaux auteurs avec les données sociologiques et avec les données économiques. En somme, le contexte socio-économique est reconstitué à partir des multiples données qui portent autant sur les acteurs principaux impliqués dans le projet muséal que sur un environnement socioculturel entourant le projet muséal. Mais nous restons en dehors du lieu muséal, de son potentiel muséologique, de sa médiance qui serait sa spécificité. (Augustin Bercque 1970 — interaction du phénoménal et du physique)

Il nous faut alors revenir au problème scientifique de la muséologie, ce qu'avait dégagé antérieurement Tsuruta en suggérant qu'il serait nécessaire de penser à un autre domaine scientifique qui «reposerait à la fois sur les objets et sur les humains». Au lieu que la muséologie s'élabore en une somme de discours parallèles, il faudrait établir scientifiquement le champ muséologique. À la suite de Tsuruta et de Stransky, nous pourrions avancer l'hypothèse suivante:

1) «Le musée est une des formes possibles de la réalisation de l'approche de l'homme à la réalité.»

2) La muséologie est un lieu discursif par où une combinaison systématique des éléments divers est possible.

Cela signifie que la muséologie est un lieu discursif qui emploie des formalités de représentation et de symbolisation pour faciliter la construction d'un modèle empirique permettant de reproduire une série d'opérations et d'actions dont la combinatoire ne saurait être décrite autrement en raison de sa densité et de sa complexité.

Aussi par cette approche, le musée n'est pas relégué dans la fixité d'un concept historique mais devient une forme modelée au gré d'une interaction avec son milieu. Et nous pouvons mieux saisir l'aboutissement d'un modèle auquel parviennent certains groupes ou sociétés lorsque nous comprenons dans une logique combinatoire le rapport du contenant au contenu en regard des utilisateurs. À titre d'exemple, les musées du Séminaire de Québec qui sont plutôt des cabinets d'étude (12) ne sont pas des collections d'objets imputables qu'à l'initiative des professeurs spécialisés comme on l'a affirmé jusqu'à maintenant. Ces différentes collections, par leur constitution, par leur organisation, s'insèrent dans un système d'éducation qui découvre de nouveaux modes d'apprentissage au XIXe siècle, sur la base du développement de l'approche scientifique en France au XVIIIe siècle. Il faut le passage d'une pensée inductive à une pensée déductive, d'un cartésianisme à l'observation newtonienne pour que le besoin d'observation exige la mise en présence d'exemples qui participent au développement de l'expérience individuelle du sujet et de son acuité perceptuelle.

Le problème méthodologique ressort alors autant du point de vue de l'enregistrement des données, de la mémoire des faits que d'une vision dynamique par l'élaboration de propositions interprétatives efficaces à résoudre l'hétérogénéité des données et la dualité des systèmes experts (pluralité), c'est-à-dire des bases de connaissances.

Nous nous sommes inspirés du modèle analytique et épistémologique de J.-C. Gardin dans *La logique du plausible* (1981) pour développer un instrument de recherche qui concrétiserait les axes principaux de nos objectifs de recherche de même que nous visions à arrimer cette axiomatique à un système informatisé. La rentrée des données sur ordinateur a imposé une systématisation de nos opérations de recherche. Ce qui paraissait, dans un premier temps, devoir être l'établissement des principaux indicateurs des voies de la recherche est devenu la base de définition des opérateurs par lesquels nous allions faire la jonction entre la chaîne des faits à la base ou dans la base de données et les hypothèses projetées. La construction d'un système qui permette à la fois la description d'actions et l'identification d'intervenants nous a conduits à une schématisation qui s'est avérée fonctionnelle jusqu'à maintenant.

Une quête méthodologique

Un premier niveau

La multiplicité des sources nous a obligés à distinguer les intervenants individuels de ceux qui se manifestaient derrière la raison sociale d'un groupe ou d'une institution. De cette manière, nous pouvions repérer qui parle mais aussi tenir compte de l'appartenance de ce dernier à une institution, à un groupe d'intérêt, à une société savante. Un même individu peut être aussi bien l'auteur d'une liste d'acquisition d'objets que d'un article scientifique.

Un second niveau

À un second niveau, nous posons que ces acteurs sont actifs soit dans la constitution de collections, soit dans l'élaboration de projets de musées, de collections, d'institutionnalisation. Le but visé par l'identification de ces opérateurs, à ces deux premiers niveaux descriptifs, est de mettre en évidence un processus de catégorisation afin d'éviter que, dans le fouillis et la diversité des sources documentaires, des aspects singuliers ne soient ignorés et n'échappent à notre lecture. De même que nous faisons apparaître les conditions techniques par lesquelles nous structurons un métalangage qui va opérer une déviation, un passage depuis la nature de la source documentaire de formes diverses à une série «d'algorithmes de traduction qui vont servir à objectiver les mécanismes de l'interprétation[15]».

Dans un premier temps, nous avons repéré des traits psychosociologiques affectés aux documents par les auteurs identifiés ainsi que des traits littéraux et sémantiques qui les caractérisent. C'est par l'analyse de contenu que nous avons accédé aux composantes des matériaux textuels de ces corpus. Les opérateurs sont indicateurs, dans cette perspective, des concepts que nous avons retenus, jusqu'à ce jour, pour l'interprétation des documents.

C'est à travers cette «proposition intermédiaire» que nous effectuons ce passage du document à une situation d'analyse dans un système qui est autonome et empirique.

Un troisième niveau

Ce n'est qu'au troisième niveau, que nous avons qualifié par l'indicateur *motivations*, que les mécanismes d'interprétation deviennent opérants, que nous arrivons à pénétrer des constellations significatives et que nous en dégageons les prémisses.

Nous reviendrons sur le dossier des musées du Séminaire de Québec pour montrer que, dans un premier temps, nous avions repéré les auteurs principaux, que le corpus de textes était exhaustif et que nous étions en mesure de préciser la nature des objets de collection de même que leur valeur représentative. Par contre, si la raison de l'établissement de ces collections nous était fournie par un discours de l'individu spécialiste enseignant, la raison sociale, elle, demeurait obscure.

Nous savions intuitivement que ce dossier pourrait être exemplaire compte tenu que les institutions majeures d'enseignement au Québec se doteront aussi de collections pour assister les enseignements. Mais nous n'arrivions pas à cerner avec assurance la fonction de l'objet par rapport à une didactique pour laquelle nous ne nous étions pas rendus à ses fondements philosophiques.

Et c'est par le recoupement et la persistance dans l'emploi de concepts véhiculés par une terminologie scientifique que nous avons soupçonné que nous étions obligés de sortir du champ disciplinaire immédiat auquel était rattaché le cabinet d'étude, afin d'accéder à une pensée plus globale qui orienterait ces différents présupposés et principes didactiques.

Le XIXe siècle est une période déterminante pour la conception de l'enseignement des sciences naturelles et physiques et cette révolution de l'enseignement des sciences va s'étendre à l'ensemble d'une philosophie de l'éducation au Québec. Alors que le Séminaire de Québec et ensuite l'Université Laval s'étaient fondés sur un traité de l'éducation des jésuites, *Le Ratio Studiorum*, depuis leur fondation, c'est au début du XIXe siècle que l'influence des découvertes de la physique du XVIIIe siècle, celle de Newton en particulier, va être introduite dans le développement d'une pensée de l'éducation basée sur un nouveau mode d'apprentissage qui valorise l'expérience et l'observation comme sources de connaissance. Des enseignants comme Jérôme Demers vont être des pionniers en introduisant de nouvelles méthodes reprises à des traités français de la fin du XVIIIe siècle comme celui de Brisson (*Traité élémentaire ou Principes de physique* daté de 1789), qui prônent le principe expérimental fondé sur l'observation. Si nous trouvons des commentaires justificateurs par rapport aux pièces de reconstitution de pathologie dans le cabinet de médecine de l'Université Laval, allant dans ce sens, nous pouvons étendre ces propos à l'ensemble des cabinets constitués principalement à cette époque.

Il y a eu en effet une concordance dans le temps entre une nouvelle idéologie qui alimente une philosophie de l'éducation et l'usage de collections à des fins didactiques pour développer un nouveau mode d'apprentissage de la nature et des choses.

L'objet de collection acquiert une double fonction, celle d'être un spécimen en regard des sciences naturelles et celle d'exemplarité en regard des sciences physiques et de l'art. Les collections d'art ont une fonction additionnelle, celle de contribuer à développer une acuité visuelle et une maîtrise manuelle du dessin qui est considérée comme complémentaire à la formation générale de l'individu.

Spécimens et exemplaires contribuent à cette volonté, à cette intention de favoriser une mise en rapport avec les choses afin d'équilibrer un mode inductif de connaissance avec une expérimentation par le biais des sens, ce qui suppose que la science s'acquière dorénavant par la voie de la démonstration et de la vérification.

Cette incursion dans le dossier des musées du Séminaire nous démontre un parcours méthodologique qui nous entraîne depuis l'identification des acteurs jusqu'à un alignement de concepts qui nous menait en définitive hors du lieu muséal strict jusqu'au lieu d'enseignement. Cependant c'est à la suite de ces concepts que nous avons suivi le fil conducteur qui devrait nous acheminer à un discernement de l'idée de musée au Québec.

C'est pourquoi nous sommes portés à défendre l'idée que la muséologie doit engendrer ses pistes analytiques et ses matériaux sur une base combinatoire afin que nous puissions faire la démonstration d'une originalité dans l'élaboration des concepts muséologiques au Québec.

Notes

1 Dagonet, François, *Le musée sans fin*, éd. du Champ Vallon, Mâcon, 1984, p. 106 à 107.

2 Pomian, Krzysztof, *Collectionneurs amateurs et curieux, Paris, Venise, XVIe-XVIIIe siècle*, Gallimard, Paris, 1987, p. 300.

3 *Ibid.*, p. 49 à 51.

4 *Ibid.*, p. 302.

5 Bazin, Germain, *Le temps des musées*, éd. Desoer, Liège, 1967, p. 243.

6 Meilleur, J.-B., *Mémorial de l'éducation du Bas-Canada*, Québec, 1876, p. 247.

7 Diderot, Denis, *L'Encyclopédie*, Paris, D'Alembert, Jean le Rond, 1778, tome V, p. 656.

8 Provencher, Abbé, *Le Naturaliste canadien*, Cap-Rouge, Québec, 1889, vol. XIX, n° 5, p. 122 et 123.

9 Desvallées, A., «Le défi muséologique» *in La muséologie selon Georges-Henri Rivière*, Bordas, Paris, 1989, p. 345 à 367.

10 *Idem.*

11 *Op. cit.*, p. 359.

12 *Idem.*

13 *Idem.*

14 Tsuruta, Soichiko, «Qu'est-ce que la muséologie? Provocations muséologiques», ICOM, Paris, 1979. Documents de travail sur la muséologie Dotram, Comité international de l'ICOM pour la muséologie, v. 1, Paris, 1980, p. 15 à 17.

15 Gardin, J.-C., *La logique du plausible*, Paris, Maison des sciences de l'homme, 1981.

Petit Séminaire de Québec, vers 1890. (Photo: Livernois)

Université Laval, Québec: pinacothèque, vers 1890. (Photo: Livernois)

OPÉRATEURS DE RECHERCHE

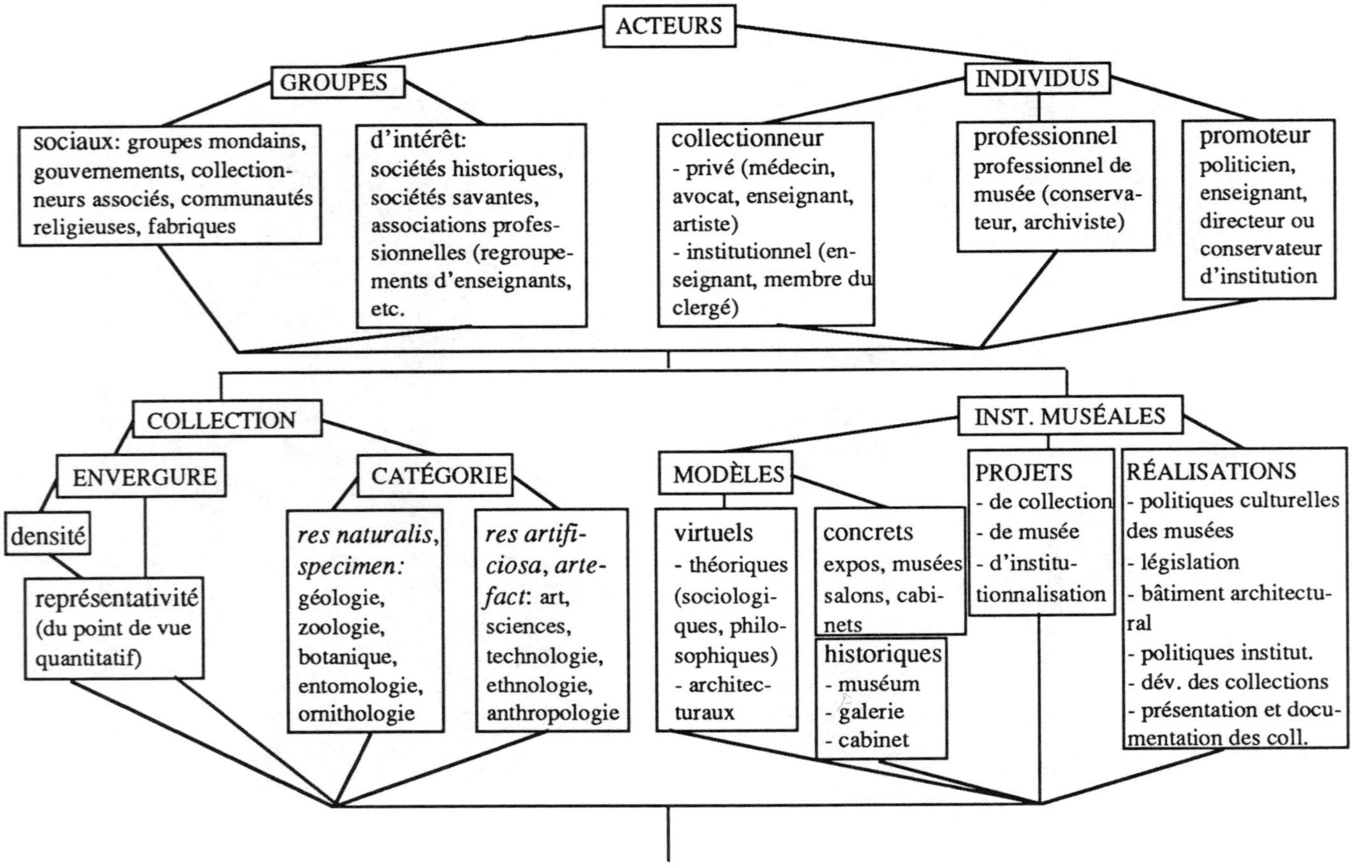

ACTEURS

GROUPES

sociaux: groupes mondains, gouvernements, collectionneurs associés, communautés religieuses, fabriques

d'intérêt:
sociétés historiques, sociétés savantes, associations professionnelles (regroupements d'enseignants, etc.

INDIVIDUS

collectionneur
- privé (médecin, avocat, enseignant, artiste)
- institutionnel (enseignant, membre du clergé)

professionnel
professionnel de musée (conservateur, archiviste)

promoteur
politicien, enseignant, directeur ou conservateur d'institution

COLLECTION

ENVERGURE

densité

représentativité (du point de vue quantitatif)

CATÉGORIE

res naturalis, *specimen*: géologie, zoologie, botanique, entomologie, ornithologie

res artificiosa, *artefact*: art, sciences, technologie, ethnologie, anthropologie

INST. MUSÉALES

MODÈLES

virtuels
- théoriques (sociologiques, philosophiques)
- architecturaux

concrets
expos, musées salons, cabinets

historiques
- muséum
- galerie
- cabinet

PROJETS
- de collection
- de musée
- d'institutionnalisation

RÉALISATIONS
- politiques culturelles des musées
- législation
- bâtiment architectural
- politiques institut.
- dév. des collections
- présentation et documentation des coll.

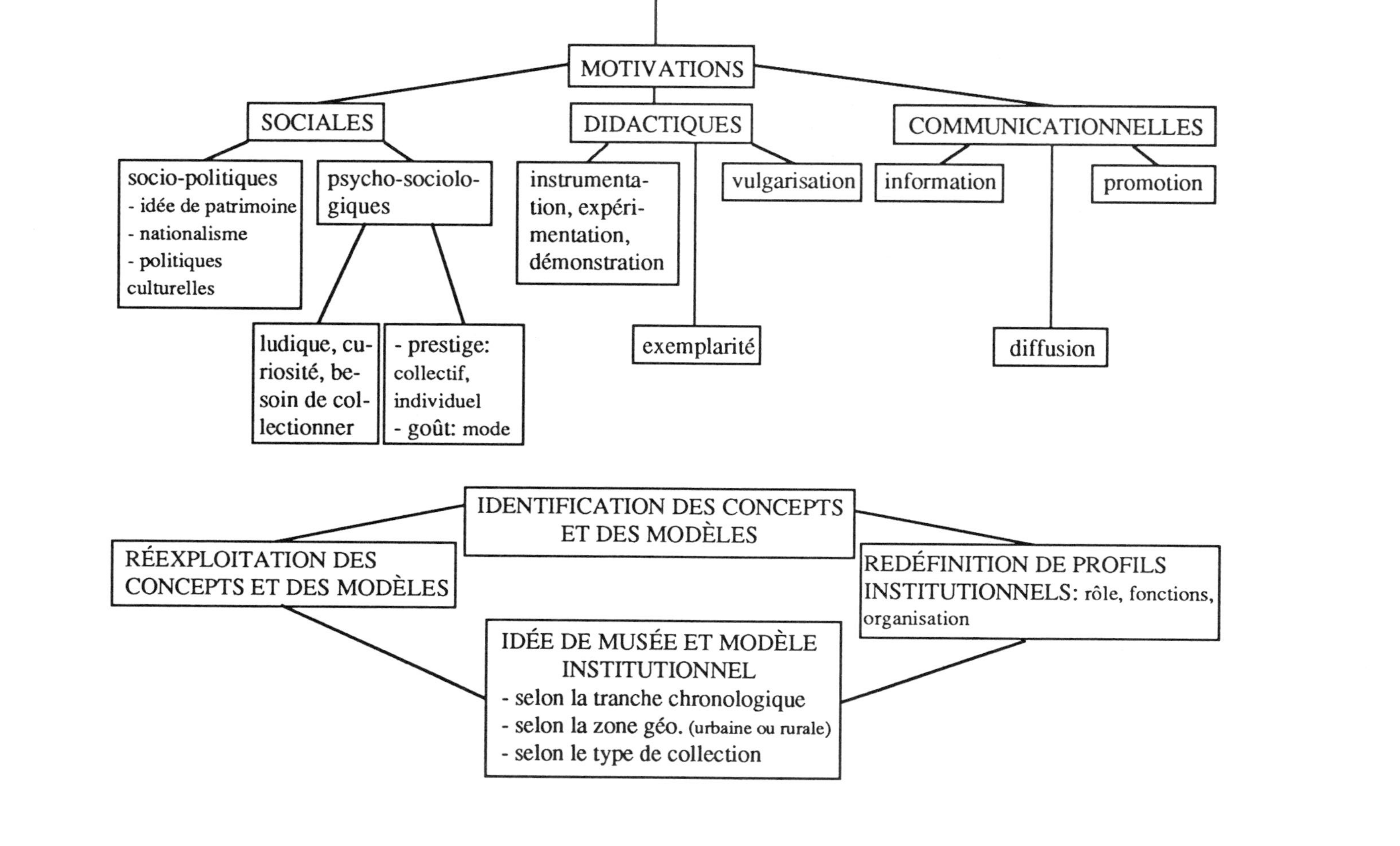
MOTIVATIONS
SOCIALES
DIDACTIQUES
COMMUNICATIONNELLES
socio-politiques
- idée de patrimoine
- nationalisme
- politiques culturelles
psycho-sociologiques
instrumentation, expérimentation, démonstration
vulgarisation
information
promotion
ludique, curiosité, besoin de collectionner
- prestige: collectif, individuel
- goût: mode
exemplarité
diffusion
IDENTIFICATION DES CONCEPTS ET DES MODÈLES
RÉEXPLOITATION DES CONCEPTS ET DES MODÈLES
REDÉFINITION DE PROFILS INSTITUTIONNELS: rôle, fonctions, organisation
IDÉE DE MUSÉE ET MODÈLE INSTITUTIONNEL
- selon la tranche chronologique
- selon la zone géo. (urbaine ou rurale)
- selon le type de collection

Université Laval, Québec: bibliothèque, vers 1890. (Photo: Livernois)

Université Laval, Québec: musée de zoologie, vers 1890. (Photo: Livernois)

L'interprétation sera limitative et violente ou ne sera pas[1]

JOCELYNE LUPIEN

Si pour le structuralisme des années soixante-dix les œuvres constituaient des objets «en soi», il est plus juste et satisfaisant de préciser, à la lumière de l'actuelle relecture de la phénoménologie et des acquis des sciences cognitives, que toute œuvre est d'abord un objet «pour soi», c'est-à-dire une construction mentale du sujet percevant. Des constructions à partir d'un certain point de vue biologique et culturel, des «mises en scène d'un perçu», dirait Piéra Aulagnier, celui du sujet producteur de l'œuvre à partir duquel le spectateur construira sa propre perception/interprétation. Selon la belle appellation de Jacques Garelli[2], les œuvres sont des «théâtres d'individuations» qui activeront chez celui qui regarde d'autres processus d'individualisation, inédits, fascinants. Bien que nous en soyons plus ou moins conscients, le contenu sémantique des discours sémiotiques plastiques n'est accessible qu'à travers un processus et une manipulation sensori-cognitive complexes qui mettent à profit au moment de l'acte perceptif rien de moins que toutes les connaissances acquises depuis la naissance. Et cette mémoire sémantique sans cesse consultée pour décoder l'image sera elle-même renouvelée et mise à jour par chaque nouvelle occurrence perceptive. Discutant ici du statut de l'interprétation, posons comme première hypothèse que c'est à partir de positions perceptuelles, spatiales, cognitives et culturelles que nos expériences esthésiques peuvent s'actualiser. En effet, les divers producteurs de discours sur l'art (artistes, historiens, sémioticiens, sociologues ou esthéticiens) interprètent l'objet d'art à partir de positions perceptivo-cognitives singulières qui ordonnent la structure et le contenu de leurs commentaires et analyses verbales. À cet égard, une sémiotique de la représentation des points de vue perceptuels dans le discours interprétatif (verbal) des œuvres plastiques serait bienvenue car elle permettrait d'éclairer les enjeux réels du processus de production du sens et de translation en langage verbal de ce qui dans l'objet d'art s'adresse d'abord à nos sens[3]. Nous parviendrons très rapidement à démontrer que les seules et incontournables limites de nos interprétations verbales résideraient dans la nature des points de vue perceptuels que nous adoptons sur les œuvres, points de vue eux-mêmes orientés par l'organisation spatiale de l'œuvre qui, comme tout discours sémiotique organisé, constitue une représentation symbolique de la position spatiale, cognitive et conséquemment épistémologique du producteur artiste face au monde. Les œuvres sont des mises en scène d'un perçu sur lequel nous échafaudons, nous spectateurs-interprètes, de nouvelles perceptions sémantiques, inédites.

Voilà donc, grossièrement esquissées, les prémisses théoriques d'une macro-sémiotique[4], c'est-à-dire d'une théorie générale de la perception des objets d'art que nous souhaitons appliquer dans cet article à deux œuvres contemporaines, de Georges Rousse et de Thomas Corriveau, qui proposent deux expériences esthétiques s'appuyant fondamentalement sur la position spatiale et kinesthésique du spectateur comme facteur de mise en forme du discours symbolique. Wallon affirmait déjà en 1942[5] l'indissociabilité dans l'activité intellectuelle entre les activités et figurations posturales et le processus de sémiotisation. Dans la même lignée, Piaget ira plus loin et parlera de «continuité» entre l'intelligence sensorimotrice et les opérations sémiotisées. Il s'agit donc de voir comment, au-delà d'une simple facture spatialisante, les œuvres de Rousse et de Corriveau contraignent de manière autoritaire et presque «violente» le spectateur à effectuer des parcours spatiaux réels et virtuels (mentaux) qui déterminent fortement le sens et donc l'interprétation finale. Encore une fois, l'analyse appliquée des œuvres démontrera comment, tel que Piaget nous le souligne, l'activité motrice elle-même génère la sémiose:

> Le signifiant est alors constitué par les indices perceptifs, tandis que le signifié est fourni par des schèmes dépassant le donné sensoriel[6].

Le langage plastique est un amalgame de signifiants plastiques de couleurs, de textures, de formes, de perspectives, autant d'indices qui servent de substance de l'expression à la mise en forme d'une représentation symbolique de... l'expérience perceptuelle (l'espace vécu) du sujet producteur de l'œuvre. Cette image est ensuite elle-même «filtrée» par la position perceptuelle de l'énonciataire, c'est-à-dire celui qui reçoit l'œuvre. Nous posons par conséquent que les images sont toujours interprétées à partir d'une perception de mises en scène d'un perçu préalable. Comme le dit bien Fontanille[7], il s'agit d'analyser en somme le système d'aspectualisation de l'espace cognitif que constitue toute œuvre plastique pour parvenir à saisir l'imaginaire que ce système recouvre. Comment se présente cet espace pictural, quel est son degré d'exposition (de visibilité), d'accessibilité/inaccessibilité, d'obstruction? Quels sont les moyens, figures, restrictions et dispositifs qui mettent en discours le contenu des œuvres de Rousse et de Corriveau? Dans une première étape syntaxique, voyons d'abord comment, par des stratégies persuasives d'origine maniériste telles que la perspective anamorphotique, l'image spéculaire et l'arcimboldesque, Rousse et Corriveau ordonnent de manière inédite l'espace du visible. Une fois cette syntaxe spatiale décrite, il sera ensuite possible de saisir sur quel type d'imaginaire et de sémantique ouvrent ces stratégies spatiales.

Anamorphoses, arcimboldesques et images spéculaires dans l'art actuel

L'œuvre de Rousse est ordonnée par la *perspective anamorphotique* et l'*image spéculaire* alors que celle de Corriveau est aussi modalisée par l'*arcimboldesque*, trois mises en forme de l'image qui constituent, pour l'artiste et le spectateur, des programmes et points de vue perceptuels complexes et riches.

L'anamorphose est une très proche parente tout en étant l'antithèse parfaite du trompe-l'œil auquel elle emprunte l'effet de saisissement/dessaisissement du regard face à la mimesis de la représentation picturale. Si le trompe-l'œil traditionnel vise à faire «vrai», le plaisir qu'éprouve le spectateur à le contempler est conditionnel à l'interruption de cet effet de réel, sans quoi l'œil (et l'esprit) continuerait à être trompé sans jamais prendre conscience du leurre. C'est donc une condition première du trompe-l'œil que de donner à voir successivement et dans un temps très court, sa véracité puis son mensonge.

L'anamorphose: dispositif critique de la représentation iconique

Il en va exactement de même pour l'anamorphose sauf que le processus est inversé, c'est-à-dire que l'image anamorphotique déformée selon de savants calculs est dans un premier temps complètement dépourvue de configuration clairement reconnaissable et lexicalisable. Par conséquent, l'image anamorphotique est d'emblée totalement «insensée». C'est grâce au décodeur cylindrique (conique ou pyramidal), et parfois grâce au changement du point de vue du spectateur face à l'image, qu'une figure signifiante et «sensée» émergera subitement de la composition initiale informelle. Dans le trompe-l'œil, l'effet de réel saisit immédiatement l'œil, alors que dans l'anamorphose, cet effet de saisissement est différé pour un certain temps, et c'est ce caractère latent du sens qui décuplera la portée sémantique du message visuel. Pour des raisons évidentes, l'anamorphose s'avère un phénomène fort intéressant d'un point de vue psychanalytique, puisqu'elle marque une volonté de suspendre momentanément, chez le producteur comme chez le récepteur, l'accession au contenu du message visuel et par conséquent l'accession au plaisir. Pour Freud, l'anamorphose est un jeu qui ressemble fort à celui de l'enfant qui s'amuse à lancer une bobine de bois entourée d'une ficelle par-dessus le bord de son lit, cachant et redécouvrant à chaque fois le jouet et ponctuant cette redécouverte d'un cri de joie. Observant les anamorphoses de Vinci, Freud précise encore que la fascination que nous éprouvons à leur égard est due précisément au fait que les anamorphoses répondent à notre désir d'absence provisoire et de présence intermittente dans notre désir de l'objet. Lyotard[8] et Lacan[9] donnent aussi des analyses (courtes mais éloquentes) de l'anamorphose en tant que dispositif critique de la représentation iconique et de ce qu'elle révèle du processus inconscient de répulsion/désir du phallus.

Dans un autre registre discursif, la linguistique a aussi tenté d'évaluer à quel type de figure de rhétorique ou à quel procédé verbal l'anamorphose s'apparente, dans le but de mieux saisir les motivations de son utilisation dans le champ de l'art depuis les premières perspectives accélérées et ralenties de l'Antiquité (déjà mentionnées par Platon), en passant par les singuliers *verxierbild* (tableaux secrets) d'Erhard Schön au XVIe siècle, jusqu'aux œuvres contemporaines de Thomas Corriveau et de Georges Rousse. La linguiste Catherine Kerbrat-Orecchioni[10] compare l'anamorphose au contrepet et à l'anagramme. En effet, comme le contrepet qui rend un son pour un autre et qui intervertit les lettres ou les syllabes d'un mot pour en créer un autre qui possède un autre sens, l'anamorphose modifie son signifiant initial au point que dans la nouvelle image déformée le sens bascule, même si tous les éléments du signifiant premier sont encore présents dans l'image seconde. Dans le contrepet comme dans l'anamorphose, nous avons deux signifiants dont le deuxième diffère du premier. Mais cette comparaison entre anamorphose et contrepet s'avère finalement insatisfaisante car le procédé verbal du contrepet ne peut rendre compte de tous les types d'anamorphoses pas plus qu'il ne décrit avec justesse l'opération de transformation de la forme du signifiant iconique qui s'opère dans l'anamorphose. L'exemple, très amusant d'ailleurs, que Kerbrat-Orecchioni nous donne du contrepet, *Femme folle à la messe* et *Femme molle à la fesse,* présente une première locution signifiante qui a du sens; ce premier signifiant est ensuite altéré pour donner un deuxième énoncé possédant un tout autre sens, différent du premier. Les anamorphoses complètement déformées (comme l'étrange figure qui gît aux pieds des *Ambassadeurs* de Holbein, 1533) ne peuvent donc être assimilées totalement au contrepet parce que leur signifiant premier ne donne à voir qu'un formidable chaos linéaire et coloré sans signification évidente pour le spectateur alors que dans la contrepèterie, aussi bien avant qu'après l'altération des phonèmes, les signifiants sont clairement décodables.

L'anamorphose constitue-t-elle un trope visuel ?

Considérons une autre stratégie verbale, soit l'anagramme, ce mot obtenu par transposition de lettres d'un autre mot, par exemple: nacre, crane, ancre. Bien que ces trois mots soient différents, tous possèdent un signifiant et une signification cohérente. Est-il possible de comparer l'anagramme avec les images qui nous intéressent? Difficile, car l'image anamorphotique s'avère être plus qu'une simple re-composition des éléments dans un autre ordre : elle déforme le signifiant jusqu'à ce qu'il perde toute configuration et sens connu. Dans l'anamorphose, nous ne sommes pas en présence d'un même signifiant dont on aurait décalé ou changé la disposition des composantes, nous sommes en présence d'un nouvel énoncé complètement différent à cause de l'intensité de l'altération de ses morphèmes, énoncé qui à la limite n'a plus rien de commun avec l'image initiale. Il semble donc évident que l'enjeu de l'anamorphose ne relève pas tant du plaisir de comparer deux termes semblables puis hétérogènes, que de parvenir à connaître le secret de l'image, secret qui, rappelons-le, était à l'époque maniériste très souvent de nature politique, pornographique ou scatologique.

L'idiolecte ou le néologisme seraient à notre avis les figures verbales qui s'apparenteraient avec le plus de justesse à l'image anamorphotique car, tout comme le néologisme, l'image déformée possède un sens inédit mais elle semble aussi relever d'une utilisation personnelle d'une langue par un seul individu (idiolecte). Ainsi, s'il faut trouver dans le domaine linguistique une forme équivalente de l'anamorphose, plus encore que l'idiolecte, c'est le néologisme qui correspondrait le mieux à l'anamorphose, toute image anamorphotique recélant un secret accessible au récepteur s'il utilise le décodeur ou s'il adopte un point de vue latéral lui permettant de découvrir «la bonne forme» cachée dans les signes brouillés. Le néologisme est obtenu parfois par déformation, par dérivation, par composition ou encore par emprunt, mais il constitue un nouveau signifiant. De même, l'image anamorphotique est un néologisme visuel dont le signifiant déformé et nouveau possède un contenu sémantique inédit (Eco dirait qu'il s'agit d'un cas de *ratio difficilis*). Toutefois, l'anamorphose n'est pas un trope car il faudrait pouvoir identifier la figure et le sens littéral de l'énoncé. On sait qu'il y a trope lorsque le discours possède une fonction représentative alors que l'anamorphose n'est pas un énoncé iconique dont le sens littéral est identifiable, du moins avant le redressement de l'image par le décodeur. Après l'utilisation du décodeur, un autre énoncé iconique apparaît qui n'a en somme plus rien de commun avec le premier. Conséquemment, l'image anamorphotique ne «représente» pas, tant et aussi longtemps qu'elle n'a pas été redressée par le décodeur. Ou alors faudrait-il dire qu'avant son redressement elle figure le chaos pur, l'indicible, le néant, et par là même une pressante invitation à chercher à produire du sens à partir de maigres pistes sémantiques, en l'absence d'embrayeurs référentiels.

L'arcimboldesque: de multiples points de vue sur l'image

Autre stratégie de construction de l'image qui oblige un engagement postural et kinesthésique du spectateur, l'*arcimboldesque* possède des qualités structurales et idéologiques semblables à celles de l'anamorphose puisque comme celle-ci, «sa lecture impose deux parcours distincts, deux mises à distance et deux accommodations différentes[11]» du spectateur. Dans une première lecture, les portraits d'Arcimboldo vus de très près (en vision proxémique, c'est-à-dire en deçà d'un mètre) donnent à voir une image composite formée d'éléments de même catégorie sémantique (ex: la classe des crustacés, celle des fruits, etc). C'est seulement lors d'une seconde lecture effectuée en distance moins proxémique (plus d'un mètre) que l'image englobante d'une tête humaine apparaîtra au récepteur. Arcimboldo disait lui-même de ses images :

> (...) l'œil se trouve invité à décomposer et à reconstruire l'image totale. (...) Pour cesser de voir des éléments de nature morte, fruits, fleurs, animaux terrestres ou aquatiques, ustensiles, matériaux divers et apercevoir l'ensemble gracieux, majestueux ou ridicule d'une face humaine, il faut nécessairement s'écarter du tableau pour se poster à une certaine distance stratégique[12].

Ce double parcours de l'image est également présent dans le processus de lecture de l'anamorphose où l'œil contemple dans un premier temps une image informelle puis, dans un deuxième temps, une image redressée par déplacement ou utilisation du décodeur. L'anamorphose est par ailleurs comparable aux gigantesques et mystérieux dessins aztèques péruviens et aux œuvres de Land Art des années 70 dont on ne peut embrasser la configuration totale qu'à vol d'avion, en distance que E.T. Hall qualifie de distance publique[13].

Thomas Corriveau et l'arcimboldesque anamorphotique

Les portraits aux prénoms de femmes de Thomas Corriveau réunissent les caractéristiques de l'arcimboldesque et de l'anamorphose alors que les immenses photographies couleurs de Georges Rousse sont réalisées, dans l'atelier même, à l'aide de l'anamorphose. Il est intéressant de noter que les artistes des années 90, peintres, sculpteurs, installateurs, réactualisent ces caprices, inventions, fantaisies et bizarreries picturales d'origine maniériste[14] qui appliquent le principe de l'«*in picturis artificiosis*»; c'est ce même principe qui régit le trompe-l'œil et l'anamorphose. Panofsky précisait justement à quel point l'espace maniériste imposait au spectateur une sorte de mouvement autour de la figure centrale[15] ainsi qu'une multiplicité des points de vue. Dans une redéfinition plus large et peut-être plus appropriée aux pratiques contemporaines, nous pouvons donc considérer le dispositif de l'anamorphose comme un outil de modalisation spatiale du matériel signifiant capable de créer et de donner à expérimenter au sujet percevant des espaces picturaux biologiquement et intellectuellement complexes, voire conflictuels.

Thomas Corriveau, série *Prénoms de femmes*, 1986, collage, 28 cm x 75,5 cm.

Les collages de la série *Prénoms* [16] sont des arcimboldesques, c'est-à-dire des images composites ordonnées selon le lois de construction de l'anamorphose. Pour saisir le représenté de ces images, le spectateur doit se placer à un endroit précis d'où il pourra reconstituer la figure qui de prime abord apparaît non signifiante. Un réel parcours spatial et une motion kinesthésique du corps entier du sujet percevant sont donc nécessaires pour bien saisir cette image. Il faut s'approcher en distance proxémique puis chercher ensuite un autre point de vue oblique à mi-chemin entre la distance personnelle et sociale (Hall) pour que finalement l'anamorphose se redresse. Dans le cas des Corriveau, le jeu se complexifie puisque chaque œuvre est un visage féminin entièrement composé de photographies de femmes tirées de magazines de mode. Contrairement aux portraits anthropomorphes et allégoriques d'Arcimboldo dont les signifiants iconiques intégrés (les fruits, les fleurs ou les poissons) différaient de l'icône intégrante (un personnage), dans les portraits de Corriveau, l'objet global ne diffère pas des éléments qui le composent, tous deux appartiennent à la même catégorie sémantique. Les unités constituantes se réfèrent au corps féminin tout comme le signifiant global. Les parties redonnent métonymiquement le dénoté global et font donc redondance de sens (sur le plan de l'expression et du contenu). Il y a homologie classématique et sémantique entre l'image englobante et ses éléments constitutifs.

Corriveau abuse volontiers de l'effet «portrait» par une mise en abîme de cette image de la femme *top model* au visage mille fois reproduit. Au plan de la dénotation comme au plan de la connotation, tous les signifiants et signifiés font redondance de sens parce que, chez Corriveau, l'arcimboldesque accole les éléments constituants au référent global. Il n'y a pour ainsi dire aucune distance conceptuelle et idéologique entre les deux niveaux de représentation, distance qui permettrait alors de qualifier ces images d'allégories. Ces portraits ne sont pas des allégories mais de mordantes parodies des modes de représentation du corps dans la photographie publicitaire. La connotation ultime de ces collages est une critique politique du représenté par une manipulation ironique et savante des unités du langage de la mode.

Au terme de cette trop brève analyse, insistons sur le fait que l'œuvre de Thomas Corriveau impose deux déplacements et deux temps de lecture et que, par conséquent, c'est la position et surtout la mobilité du spectateur qui deviennent ici les prémisses au processus d'interprétation de l'image. Sans une implication spatio-temporelle qu'enclenchent l'arcimboldesque et l'anamorphose, ces œuvres ne posséderaient pas un niveau sémantique de distance critique suffisante pour démontrer l'ironie voire la cruauté qu'imposent les images de mode au corps des femmes contemporaines. Sans le dispositif spatio-temporel postural de l'arcimboldesque et de l'anamorphose, la fonction critique de ces images ne pourrait atteindre celui qui les regarde.

Georges Rousse, sans titre, 1985, cibachrome couleur, 188 cm x 244 cm.

L'anamorphose revue par Georges Rousse: une expérience posturale saisissante

Dans l'œuvre de Georges Rousse, l'anamorphose est plus perverse. Si elle ne s'impose pas d'emblée dans les grands cibachromes, nous verrons qu'elle est toutefois abondamment utilisée lors du processus même de création. Avant d'analyser ce phénomène complexe, établissons une importante distinction entre le trompe-l'œil tel que traditionnellement nous l'entendons et l'illusion tridimensionnelle telle que les œuvres de Rousse nous la fournissent. Un exemple de trompe-l'œil: la saisissante coupole de la *Chapelle de la Sainte-Croix* à Wiesentheid peinte en 1730 par Giovanni Francesco Marchini, qui place le spectateur devant un espace feint, devant un véritable faux qui semble s'écrouler sur sa tête. Comparativement, l'œuvre de Rousse constitue aussi un espace scénique conçu comme un décor bâti en fonction de l'effet qu'il produira sur le spectateur. Comme devant le trompe-l'œil de Marchini, le regard est mystifié devant les grandes photographies de Rousse mais, contrairement au Marchini, l'œil détecte d'emblée une impossibilité logique sans comprendre à quel stratagème pictural il doit cette ambiguïté. La raison en est à la fois simple et complexe. Rousse se sert non seulement du dispositif de l'anamorphose, mais aussi de la photographie, de la peinture et de l'architecture pour parvenir à installer cet effet spectaculaire. Chacune des stratégies maniéristes et baroques réactualisées dans cette œuvre possède, comme le trompe-l'œil peint, ses lois propres mises au service d'un complot pour intervertir et faire basculer de manière intermittente l'espace réel et l'espace représenté. Voyons de plus près les caractéristiques du trompe-l'œil traditionnel (Marchini), afin de mieux saisir ensuite ce qui caractérise le trompe-l'œil tel que pratiqué par un artiste contemporain comme Rousse. Chez Marchini, voici donc un espace plat qui donne l'illusion du tridimensionnel par de fausses architectures peintes. Ainsi, au premier coup d'œil sommes-nous saisis par l'effet de réel de cette fausse architecture pour ensuite, dans un deuxième temps, nous dessaisir du leurre. Le «faire paraître» de la peinture de Marchini est conçu de manière à faire oublier au spectateur, ou plutôt de manière à ce que le spectateur n'ait même pas le temps de se souvenir du lieu réel dans lequel il se trouve, c'est-à-dire une église. Comme le mentionne Jean Baudrillard, dans le trompe-l'œil «l'espace y est perpétré par simulation». L'œuvre de Rousse fonctionne tout autrement. S'il y a simulation, celle-ci est d'un tout autre ordre car l'espace est perpétré par l'adjonction de deux manipulations perspectivistes du matériel signifiant: l'anamorphose et la photographie.

Quelques données sur l'étrange processus de production des œuvres de cette période chez Georges Rousse. Dans un local désaffecté, mort et peu séduisant (comme devait l'être au départ le cul-de-sac où Borromini peignit sa fameuse colonnade), Rousse dramatise la déconstruction des murs de manière totalement différente de Marchini. Si l'écroulement de la coupole de Marchini met en scène l'effondrement d'une fausse architecture en réalité bidimensionnelle, Rousse aplatit par «l'effet Kodak» un espace réel et tridimensionnel, après y avoir peint des figures anamorphotiques. Contrairement à l'effet vraisemblable de «ruines qui s'écroulent» chez Marchini, les ruines de Rousse sont déjà là, et possèdent une existence réelle et préalable à la photographie. Le complot de Rousse consiste, par des interventions peintes et dessinées, à aplatir et à faire basculer cet espace réel au point de le ravaler au rang de trompe-l'œil. L'espace réel avec ses colonnes, ses murs, et ses ouvertures, deviendra le support d'une formidable mystification. L'œuvre finale est donc une immense photographie cibachrome d'une mise en scène anamorphotique que l'artiste a lentement et intelligemment réalisée dans l'espace désaffecté. Tout en élaborant le dessin anamorphotique dans la pièce, l'artiste effectue de fréquents va-et-vient entre le plan pictural (c'est-à-dire les murs, les colonnes et le plafond sur lesquels il dessine) et un point de vue privilégié, celui où l'anamorphose se redresse et où l'image devient cohérente. C'est précisément de cet endroit situé en frontalité avec la scène et de ce point-de-vue unique que Rousse appuiera sur le déclencheur de l'appareil photo pour fixer le résultat de son travail. Ainsi, il faut distinguer deux espaces-temps dans cette œuvre: d'une part le temps et le lieu de l'anamorphose non résolue dans le local désaffecté (que seul Rousse expérimente sur place), et d'autre part le temps et le lieu de l'anamorphose redressée que le spectateur voit en définitive sur la grande photo exposée dans la galerie. Dans ce cas précis, la photographie ne fait pas que conserver la trace des interventions peintes ou dessinées, elle ne sert pas à documenter, mais elle joue littéralement le rôle du décodeur cylindrique ou conique dans l'anamorphose traditionnelle, c'est-à-dire qu'elle devient l'outil par lequel le motif disloqué et totalement aberrant devient intelligible. Le point-de-vue unificateur de la photographie devient ce lieu perceptuel privilégié d'où l'informel prendra forme. Dans le cas des collages anamorphotiques de Thomas Corriveau, c'était le déplacement du corps du spectateur qui permettait le redressement de l'image. Chez Rousse, c'est la grande photographie qui donne le résultat de ce déplacement du corps, et qui donne de l'anamorphose sa version redressée («l'après déplacement» du corps du récepteur). Toutefois, l'œuvre serait fade si sa seule visée était de faire voir l'anamorphose résolue, et c'est pourquoi l'artiste se sert de l'anamorphose pour créer un espace ambigu et, pour nous spectateurs-interprètes, ce recours au dispositif de l'anamorphose devient donc intéressant à analyser syntaxiquement parce qu'il affecte le contenu sémantique même de l'œuvre. En effet, se servir de l'anamorphose puis neutraliser son effet médusant en imposant au spectateur l'«après méduse» n'est certes pas anodin. Cela est lourd de sens, mais de quel sens ?

Métaphoriquement, tout se passe comme si le producteur de l'œuvre avait contemplé longuement la Méduse dans les yeux et, sans périr, comme s'il avait vaincu Méduse par le «clic» de son appareil photo. Car cet appareil photo, présent tout au long du processus de création (durant ce «corps à corps» avec l'inconnu), est véritablement ici métaphore du bouclier d'Athéna qui protégeait Persée du regard meurtrier de Méduse. Dès lors, on comprend pourquoi Rousse refuse d'inviter quiconque sur place (dans ce pseudo-atelier), on comprend pourquoi il lui répugne de montrer ces lieux investis des semaines durant de sa présence et dans lesquels du reste l'anamorphose est saisissante et toujours médusante même une fois la photographie réalisée. Jamais Rousse ne dévoilera publiquement l'espace anamorphotique tel qu'il l'a expérimenté parce qu'il veut garder pour lui seul l'expérience corporelle et thymique de «l'effet méduse» qui frappe celui qui ose regarder l'informel. Il garde pour lui le plaisir qui découle de la transformation fulgurante de l'irreprésentable en un signe intelligible, la transformation de l'hétérogénéité en homogénéité, du désir inassouvi en satiété. En nous imposant ce point de vue, Rousse nous prive sciemment de la possibilité de chercher nous-mêmes le moyen de combler le manque (de connaissance, de pouvoir sur le monde, etc.) par la découverte du point de vue idéal, celui que propose la perspective convergente, point-de-vue dont on a dit qu'il symbolisait épistémologiquement le point de vue de Dieu (ou du Roi) avec l'omniscience que cela suppose. On retrouve dans l'œuvre de Rousse cette homogénéisation entre point de vue et point de fuite que propose la perspective convergente, et le spectateur, s'il n'est pas vraiment un acteur de l'énoncé, se trouve pourtant à faire figure d'«acteur virtuel»[17]. Mais qu'en est-il du statut de l'anamorphose ici, quelle est la contribution sémantique de cette structure syntaxique sophistiquée que Rousse utilise en atelier mais à laquelle il nous soustrait?

Dans le miroir, le spectacle de l'illusion

La question de l'anamorphose dans l'œuvre de Rousse fait problème puisque au moment où le spectateur regarde l'œuvre finale, l'image est déjà redressée, son secret déjà révélé. Par le cliché photographique, Rousse nous place d'autorité à l'endroit exact où, après de multiples déplacements kinesthésiques, nous nous serions placés pour finalement résoudre l'image énigmatique dispersée dans l'édifice désaffecté. Mais, bien que l'anamorphose et son *fort da* appartiennent à l'espace-temps du producteur de l'œuvre et que la structure même de l'œuvre réitère cette position, bien que l'anamorphose soit antérieure à la perception du spectateur, on (l'artiste) a pris soin de conserver quelque chose de l'étrangeté de l'image anamorphotique dans la photographie finale. À bien y regarder, cette image montre en son centre une subtile hétérogénéité spatiale qui la rend impossible et quasi intolérable du point de vue de la logique spatiale et posturale. Au centre de la scène représentée se trouve un immense *miroir* dans lequel se réfléchit, chose étonnante et médusante, l'espace derrière Rousse (et derrière le spectateur) avec ceci d'étrange que cet espace s'emboîte parfaitement avec ce qui est à l'avant-scène. Autrement dit, cette œuvre donne à voir sur le même plan ce qui est logiquement à deux endroits distincts, devant et derrière l'énonciateur et le destinataire de l'œuvre. Comme l'anamorphose, le miroir est donc ici un formidable outil syntaxique qui affecte le contenu sémantique du message pictural. L'artiste s'en sert en tant que surface capable de renvoyer un double de ce qui n'est pas d'emblée visible du point de vue de l'appareil photo (qui représente son propre point-de-vue), pour mettre devant ce qui se trouve derrière elle (et derrière lui-même par la même occasion).

Merleau-Ponty[18] affirme que l'image spéculaire est un effet de la mécanique des choses et que c'est notre pensée qui décrète qu'elle ressemble à son objet dont elle n'a en réalité aucune des propriétés. De même, Rousse donne à voir dans ce miroir ce que nous percevons être une sorte de double de ce qui échapperait normalement à l'appareil photo et au spectateur, et il fait apparaître et interférer réellement ce double dans l'espace pictural. Le résultat est le brouillage du statut des éléments représentés dans l'image, soit les murs réels sur lesquels Rousse a peint et qu'il a ensuite photographiés, et ces images spéculaires qui se prennent pour le réel. Où se situe le réel, où est la fiction de la représentation picturale, où est l'espace réfléchi? L'œuvre retourne la représentation contre elle-même pour pervertir sa propre structure logique. Nous ne sommes pas devant un simulacre de la réalité mais devant un «spectacle de l'illusion»[19], devant une mise en scène extrêmement sophistiquée du faux et du réel, l'un et l'autre confondus. Dans une curieuse application du conseil de Léonard aux jeunes peintres, Rousse semble vouloir mesurer pour nous le degré de véracité de sa peinture en la réfléchissant partiellement dans un miroir. Il nous met ainsi au défi de départager le monde du réel de celui de l'illusion. Léonard de Vinci disait à ce sujet:

> Le miroir est le maître des peintres. Réfléchis dans le miroir l'objet réel, puis compare le reflet à la peinture... Les miroirs offrent beaucoup de points communs avec une peinture; en effet, la peinture qui est sur un plan donne l'impression du relief et de même le miroir est plan. Il est certain que ta peinture, si tu sais bien la composer, fera également l'effet d'une chose naturelle vue dans un grand miroir.
>
> (Extrait des *Carnets* de Léonard)

Vinci dit bien que la peinture devrait idéalement projeter «l'effet» d'une chose vue dans un miroir et non devenir l'image du miroir, et en cela il rejoint la position merleau-pontienne. Cet «effet de réel» est uniquement affaire d'évaluation et d'interprétation, par le sujet percevant, du rapport de plus ou moins grande gémellité entre deux unités spatiales (le réel et le spéculaire). Rousse s'amuse ainsi à juxtaposer l'œuvre et son pseudo-double réfléchi dans le miroir pour confondre les deux valeurs iconiques, sachant bien qu'elles sont irréductibles aussi bien spatialement que symboliquement.

Par ailleurs, le dispositif des cibachromes de Rousse n'est pas sans rappeler le célèbre tableau de Van Eyck, *Les Époux Arnolfini* (1434). Apparaît dans le tableau de Van Eyck, comme dans l'œuvre de Rousse, un petit miroir circulaire qui montre ce qui se trouve derrière Van Eyck et donc derrière le spectateur. Ce qui appartient à l'espace du peintre et du spectateur devient du même coup partie prenante dans la composition de l'œuvre. Le procédé a été utilisé par de nombreux peintres, il n'y a qu'à penser aux *vanitas* du XVe siècle et notamment celles de Memlinc; au portrait royal qui apparaît dans le miroir des *Ménines* de Vélasquez (1656), au *Bar aux Folies-Bergère* de Manet (1881-1883); à *La glace du cabinet de toilette* de Bonnard

(1908) dans laquelle l'espace réfléchi occupe presque tout le plan pictural; à la *Classe de danse* de Degas (1871) où la fonction du miroir est de faire voir du connu et de l'inconnu; au *Chat au miroir* de Balthus où le miroir semble servir de repoussoir au chat-Méduse; au *Portrait de George Dyer dans un miroir* de Francis Bacon (1967) dans lequel le miroir ne reflète plus le réel mais agit sur celui-ci, etc. Dans l'œuvre de Rousse, l'espace réfléchi est contigu à l'espace peint, et fait conséquemment partie de la composition anamorphotique que fixera tout à l'heure le déclic de l'appareil photo. Dans le tableau de Van Eyck, le miroir agit de même mais nous donne des informations supplémentaires visibles de très près seulement: la signature du peintre ainsi qu'un autre point de vue sur la scène des époux qu'il nous montre de dos. En fait, le miroir joue le rôle d'un autre petit tableau dans le grand tableau qui est en fait la représentation d'une distance perceptuelle telle qu'incluse dans une autre, une mise en abîme critique par l'emboîtement d'espaces hétérogènes, alors que chez Rousse l'image réfléchie par le miroir est sur le même plan spatial que ce qui n'est pas réfléchi, non conventionnellement séparée de l'image non réfléchie comme c'est le cas dans le Van Eyck où l'encadrement décoratif du miroir isole celui-ci du reste de la composition. Dans l'œuvre de Rousse, il n'y a pas de disjonction entre l'image spéculaire et le réel, entre ces deux images qui proviennent pourtant de deux lieux différents. Pas de disjonction entre ce qu'il voit et ce qu'il ne peut pas voir puisque ce qui est derrière lui sera intégré au moyen du miroir à ce qui apparaît devant lui[20]. Voilà un beau problème qu'une sémiotique perceptuelle pourrait tenter de décortiquer car il semble qu'on demande ici au spectateur de se référer sémantiquement à un schème postural qu'il n'a vraisemblablement jamais connu, pour lequel il ne possède aucune *gestalt* posturale. La valeur posturale des directions «devant-derrière» donnée par cette œuvre propose une vision caméléonesque à 360°! Et comment qualifier ce qui a le pouvoir d'être à la fois devant et derrière nous ? C'est une redéfinition des compétences posturales du sujet percevant que cette œuvre propose, lui à qui on demande de transgresser mentalement, à partir des réels stimuli plastiques et conceptuels de l'œuvre, les contraintes de la réalité corporelle humaine. S'appuyant donc sur des prémisses qui relèvent d'une mémoire cognitive spatiale partagée par tous les individus, l'œuvre propose ici une formidable expérience spatiale telle que notre corps ne parviendrait jamais à en vivre dans le monde réel. Sémantiquement, c'est le don d'ubiquité et d'omniscience que le producteur se donne et, de même, le spectateur devient capable tout à coup, par cette projection par réflexion, de voir simultanément le visible et l'invisible, le tangible et l'insaisissable, de connaître le présent et le futur.

En optant pour ce dispositif spatial qui sollicite et renouvelle la mémoire des expériences posturales et kinesthésiques dont on a démontré l'importance dans l'acte de sémiose, l'œuvre de Rousse traite fondamentalement de la connaissance de soi. Même si le corps réel (de Rousse ou le nôtre) n'apparaît pas dans le miroir, c'est pourtant de lui seul que l'on parle ici (*in absentia*), de sa projection virtuelle et fantasmatique au centre de l'œuvre. En prolongement des thèses de Wallon et de Piaget, Liliane Lurçat réaffirme que cette projection par réflexion du schéma corporel est à la base du repérage et de l'orientation dans l'espace qui est à son tour à la base de toute activité humaine fondamentale telle que la connaissance de soi:

> La base de la connaissance de soi paraît être sur le plan biologique essentiellement posturale et kinesthésique. Sur le plan social, elle paraît liée à la perception des autres, et de soi-même au miroir. Ainsi la connaissance de soi a pour base biologique les données posturales et kinesthésiques et pour base sociale le reflet de soi dans le miroir. Si les deux convergent très tôt pour fusionner en un moi unique au point que le reflet paraît inséparable du moi postural, leur essence est radicalement différente, biologique et sociale[21].

Ce que semble suggérer l'œuvre de Rousse c'est, au contraire, une impossibilité de fusion de ces deux moi biologique et social en un moi unique, à cause de l'oblitération totale de l'image du corps physique de l'artiste dans le miroir qui ouvre plutôt ici sur une image de peinture. Mais cette fusion est-elle vraiment impossible et ne pourrait-on pas proposer plus justement que l'image de peinture que ce miroir nous renvoie *est* un moi métaphoriquement représenté (*in absentia*)? La fusion du moi biologique avec sa représentation symbolique serait alors effective, et pour le producteur de l'œuvre et pour le spectateur qui s'y projette anthropomorphiquement lors de l'acte de lecture.

On voit combien l'interprétation de l'œuvre dépend étroitement des espaces perceptuels représentés. Nous avons étudié un cas précis, celui des représentations mentales des déplacements de notre corps dans l'espace que l'œuvre de Rousse enclenche interoceptivement et que les collages de Corriveau font réellement vivre au spectateur proprioceptivement. Ces signifiants plastiques relevant de notre mémoire spatiale possèdent des résonances affectives de plaisir et de déplaisir, de phorie et de dysphorie (angoisse, doute, mais aussi de puissance et de compétence extraordinaire du corps propre et par extension du moi). Face à l'objet d'art, nos discours interprétatifs littéraires (esthétiques, réthoriques, cognitivistes, sémiotiques) semblent heureusement de plus en plus préoccupés par l'urgence d'étudier attentivement ces expériences cognitives et thymiques organisées et déclenchées par les objets d'art, ces véritables «théâtres d'individuation» qui ouvrent sur l'universel.

BIBLIOGRAPHIE

Aulagnier, Piéra, *La violence de l'interprétation,* Paris, P.U.F, 1975
Baltrusaitis, Jurgio, *Anamorphose ou thaumaturquo opticus*, Paris, Flammarion, 1984
Blistène, Bernard, *Alibis,* Catalogue de l'exposition *Alibis*, Centre Georges-Pompidou, Musée national d'art moderne, 5 juillet-17 septembre 1984
Fontanille, Jacques, *Les espaces subjectifs*, Paris, Hachette, 1989
Garelli, Jacques, «Métamorphoses du regard», *in La part de l'œil,* n° 7, dossier «Art et phénoménologie», 1991
Groupe μ, *Le traité du signe visuel. Pour une rhétorique de l'image,* Paris, Seuil, 1992
Hall, Edward T., *La dimension cachée*, Paris, Seuil, 1966
Kerbrat-Orecchioni, Catherine, «L'image dans l'image», *in Rhétoriques, sémiotiques*, 10/18, n° 1-2, Paris, 1979, p. 193-233
Lacan, Jacques, *Le Séminaire,* Livre XI, Paris, 1973 VII, «L'anamorphose», p. 75-84
Lurçat, Liliane, *L'enfant et l'espace. Le rôle du corps*, Paris, PUF, 1976
Lyotard, J. F., *Discours, figure*, Paris, Éditions Klincksieck, 1985
Merleau-Ponty, Maurice, *L'œil et l'esprit,* Paris, Gallimard, 1964
Panofsky, E., *Essais d'iconologie*, Paris, Gallimard,1967
Pinol-Douriez, Monique, *La construction de l'espace*, Paris, Delachaux et Niestlé, 1975
Wallon, Henri, *De l'acte à la pensée*, Paris, Flammarion, 1942

Notes

1 Ce titre fait délibérément allusion au fort beau titre du livre de Piéra Aulagnier, *La violence de l'interprétation*, Paris, P.U.F, 1975. L'emprunt de l'idée de la violence de tout acte interprétatif ne signifie pas toutefois que nous adopterons ici une approche psychanalytique des objets d'art.

2 Garelli, Jacques, «Métamorphoses du regard», *in La part de l'œil*, n° 7, dossier «Art et phénoménologie», 1991, p. 120.

3 Au Québec, quelques théoriciens se penchent actuellement sur cette question du rôle des données sensorielles sur la construction des discours symboliques. Mentionnons entre autres les travaux de Fernande Saint-Martin sur le langage plastique et le travail sur la morpho-dynamique du texte littéraire de Pierre Ouellet. En Europe, Jacques Fontanille, Jean-Claude Coquet, Jean Petitot, François Rastier, Georges Didi-Huberman, Jacques Garelli, Jean-Jacques Frankel, Daniel Lebeau, sans oublier le Groupe μ, travaillent tous, avec des approches différentes, sur ces problématiques de l'apport des données perceptuelles dans l'appréhension du texte visuel (plastique ou verbal).

4 Nous empruntons le terme de «macro-sémiotique» au Groupe μ qui, dans *Le traité du signe visuel* (1992, p. 49), l'oppose à la «micro-sémiotique» qui serait l'application ou la vérification de la théorie générale sur un objet en particulier. C'est finalement l'opposition entre les systèmes cognitifs *top-down* et *bottom-up* qu'on retrouve dans ces structures de macro et de micro-sémiotique.

5 Wallon, H., *De l'acte à la pensée*, Paris, Flammarion, 1942, p. 250.

6 Cité par Pinol-Douriez, M., *La construction de l'espace*, Paris, Delachaux et Niestlé, 1975, p. 14.

7 Fontanille, Jacques, *Les espaces subjectifs*, Paris, Hachette, 1989, p. 53.

8 Lyotard, J. F., *Discours, figure*, Paris, Éditions Klincksieck, 1985, p. 378-379.
Lyotard nous dit qu'«avec l'anamorphose, le signifiant lui-même est attaqué, il se renverse sous nos yeux. Les objets inquiétants qui prennent place dans l'œuvre représentative relèvent d'un espace qu'on peut dire graphique si on l'oppose à celui de la représentation : ces objets s'inscrivent sur la «glace» et la font voir au lieu de la traverser en direction de la scène virtuelle. L'œil cesse ainsi d'être pris, il est rendu à l'hésitation de parcours et du lieu; et l'œuvre à la différence des espaces, qui est le dualisme des processus. Par l'injection d'un autre espace, l'illustration se montre comme illustration, elle s'auto-illustre.»

9 Lacan, Jacques, *Le Séminaire*, Livre XI, Paris, 1973 VII, «L'anamorphose», p. 75-84.

10 Kerbrat-Orecchioni, Catherine, «L'image dans l'image», *in Rhétoriques, sémiotiques*, 10/18, n° 1-2, Paris, 1979, p. 193-233.

11 Kerbrat-Orecchioni, *op cit.*, p. 207.

12 Kerbrat-Orecchioni, *op cit.*, p. 207.

13 Hall, Edward T., *La dimension cachée*, Paris, Seuil, 1966, p. 155, 156, 157.

14 Mentionnons que le terme *anamorphose* fait son apparition au XVIIe siècle bien que dès l'Antiquité on se soit penché sur la problématique de la différence entre

l'objet et sa vision et par conséquent sur «les œuvres qui considérées d'un bon point de vue, ressemblent au Beau mais (qui) n'offrent plus, convenablement examinées, la ressemblance qu'elles promettaient». Platon, *Œuvres*, (traduction V. Cousin), Paris, 1837, vol II, «Le Sophiste ou de l'être» tel que cité par Jurgio Baltrusaitis, dans *Anamorphose ou thaumaturquo opticus*, Paris, Flammarion, 1984, p. 7.

15 Panofsky, E., *Essais d'iconologie*, Paris, Gallimard, 1967, p. 182.

16 Exposées à Montréal à la galerie Optica, en septembre 1986.

17 Le terme est de Jacques Fontanille, *op. cit*, p. 69.

18 Merleau-Ponty, Maurice, *L'œil et l'esprit*, Paris, Gallimard, 1964, p. 34.

19 Blistène, Bernard, *Alibis*, Catalogue de l'exposition *Alibis*, Centre Georges-Pompidou, Musée national d'art moderne, 5 juillet-17 septembre 1984, p. 15.

20 Tout ceci n'est pas sans rappeler la fameuse expérience de Brunelleschi (vers 1425) qui peignit une vue du baptistère de Florence sur une *tavoletta* percée d'un trou conique devant lequel l'œil se plaçait. Face à ce dessin, Brunelleschi plaça un miroir dans lequel se réfléchissait le vrai ciel, juxtaposant jusqu'à l'indifférenciation l'image représentée et l'image spéculaire.

21 Lurçat, Liliane, *L'enfant et l'espace. Le rôle du corps*, Paris, PUF, 1976, p. 205.

Quand voir, c'est dire[1]

JACQUELINE MATHIEU

L'histoire de l'art et son objet

L'histoire de l'art possède un passé relativement récent si on la compare à d'autres disciplines telles la philosophie ou encore l'histoire proprement dite. Et pourtant, depuis sa formation hasardeuse, plusieurs approches ont proliféré en son sein, se constituant en autant de sous-disciplines qui ont revendiqué et revendiquent encore, dans certains cas, leur autonomie. Pensons à cet effet à la muséologie, la sociologie de l'art ou encore la sémiologie des arts visuels. Cette dernière, pour n'en prendre qu'une, regroupe en fait plusieurs tendances parfois similaires, parfois résolument antinomiques. C'est le jeu, ô combien nécessaire, des «points de vue» et des prises de position idéologiques sur ce qu'est l'histoire de l'art ou ce qu'elle devrait devenir à plus ou moins long terme.

Et pourtant, toutes ces tendances voire ces disciplines qui s'occupent au premier chef de l'art visuel détiennent quelque chose en commun, soit l'objet lui-même de tous les questionnements: l'œuvre. Que l'on y arrive avec plus ou moins de circonvolutions, soit en empruntant les voies périphériques (contexte, culture d'époque, projet initial de l'artiste, exposition et les multiples voyages de l'œuvre à travers le temps, etc.) ou celles qui la bordent plus spécifiquement et la délimitent (les marques dans l'œuvre, les codes qui la régissent, ces divers effets de sens sur le spectateur, etc.), toutes elles parlent et fondent leur savoir sur elle. Qu'importe vraiment si l'objet du discours sera celui de son producteur, des idéologies qui ont dû (ou auraient dû) participer à son élaboration, des soins à apporter à l'objet/œuvre qui nous a été légué par l'histoire, de sa portée symbolique et son impact au sein d'une certaine culture, l'histoire de l'art s'abreuve et se nourrit de cet objet qui parfois n'en est pas un. Or, cette œuvre, qu'elle soit objet réel ou virtuel, statique ou en mouvement, constituée de matériaux nobles ou quotidiens ou encore du corps même de l'artiste, il semble bien que l'on ne peut en parler sans entrer dans les dédales tortueux et infinis de la vision et de la perception. De ce que l'on voit et ce que l'on en déduit. Regarder pour en parler. Et comment en serait-il autrement puisque le visuel est au cœur même de la discipline? objectera-t-on. Pour nous permettre de réfléchir (encore une fois) à cette question, tournons-nous donc vers un domaine extérieur à la discipline de l'art mais qui n'en a pas moins remis en cause la question du voir et du dire au sein de sa discipline, soit l'ethno-anthropologie.

L'ethno-anthropologie et le savoir

Dans *Exotisme et altérité*[2], Francis Affergan soulève la difficulté qui a toujours existé, et qui existerait encore selon lui, entre l'ordre du langage (ce qui est écrit) et celui de la vision. Fondé sur la notion d'observation directe des hommes et peuples appréhendés et d'une transcription scripturaire la plus minutieuse possible de leurs attributs physiques, vestimentaires et comportementaux, le discours ethnologique ne peut en fait se constituer qu'en découpant et en sélectionnant les éléments du réel dont il tente de rendre compte. Ce qui est vu par celui qui est autorisé en droit (l'ethnologue) se transforme dès lors en ce qui est pensé et dit par ce même spécialiste qui incorpore et manipule les éléments retenus aux fins de son discours. Tous les faits seraient donc déjà interprétés, «... entamé[s] et déformé[s] par la pratique du langage[3]» avant même qu'il ne les livre à la réflexion publique.

Or, cette pratique répandue dans toutes les sciences humaines se double en ethnologie (et ne pourrait-on pas avancer en histoire de l'art?) de l'incompatibilité fondamentale, selon Affergan, entre l'ordre de la vision et celui de l'écriture/lecture. Le premier fait appel à la contiguïté, au spatial tandis que l'autre s'ordonne en fonction des mots que l'on aligne l'un après l'autre suivant une continuité temporelle. De plus, la vue est inextricablement trouble, anarchique puisqu'elle est polydirectionnelle. Elle engage tout notre corps, nos sens simultanément. En contrepartie, l'écriture présuppose ordre, réflexion, raisonnement, soit une logique qui réduit notre voir à un savoir. Que dire alors de ce transfert que l'on effectue entre la vision d'un objet ou d'un être qui possède une certaine densité, un volume et la transparence voire la minceur de nos supports d'écriture? Passage du tridimensionnel au bidimensionnel, de la verticalité (bien souvent) à l'horizontalité. Torsion? Aplatissement à tout le moins que l'on considère comme tellement normal, avancera l'auteur, si bien que personne ne juge bon de s'y attarder. D'où son projet de s'y atteler.

Ce que l'on voit: la question de l'observation

Que se passe-t-il quand un discours ou une bonne partie de ce dernier se fonde sur ce que nous sommes censés voir? Peut-on véritablement voir, et comment?

> Tout le problème sera de savoir si l'œil fait voir ou obère au contraire la réalité. Et, en conséquence, on ne pourra éviter de se demander si ce qui est vu peut participer d'une identité conférée par l'observateur, ou bien si cela restera neutre, un objet indéfini, un «cela» que l'oeil se contenterait de montrer ou d'indiquer sans intervenir. L'œil métamorphose-t-il les qualités qu'il perçoit en objet? Ou bien valorise-t-il les objets en qualités premières[4]?

Or le «cela», même s'il existait, fait accomplir à l'observation une fonction essentiellement déictique, soit de pointer ce qui est vu par celui qui en rendra compte aux autres. Dès lors, voir devient découpage, mise en valeur de certains éléments au détriment d'autres puisqu'il ne pourra être question de tout retenir, le «tout voir» ne pouvant être d'aucun rendez-vous. L'omniscience et l'attention qu'une telle vision exigerait en exclut automatiquement la réalisation. Impossible totalité qui s'accompagne par le fait même d'une forme de réductionnisme. Car témoigner de sa vision, c'est ne saisir qu'une succession de moments en arrêt comme une série d'instantanés qui reconstituerait l'ordre successif de l'œil. Or, peut-on figer ce flux continu de la vision? Si oui, quels moments choisir et pourquoi? Il faudrait alors «... voir à travers une couche toutes les autres couches comme si l'on pouvait occuper une position supérieure et comme si toutes les couches étaient transparentes[5]».

Position intenable, comme l'on peut en juger. Et pourtant, l'observateur sélectionnera, à partir de ses critères théoriques ou d'hypothèses de départ, les marqueurs qui formeront la trame de son propre discours. Or ces marqueurs, dans bien des cas, font également problème. Que dire de la couleur, par exemple? Marqueur symbolisant le monde pour certains, codeur sémantique pour d'autres, permettant une forme de classification des qualités sensibles du réel, elle est en fait, pour Affergan, des plus ambivalentes. «Appartient-elle à l'ordre des mots», se demandera-t-il, «ou à celui du monde physique[6]?» D'où émerge la couleur: de la chose observée ou de l'œil qui regarde? Fait-elle automatiquement sens en elle-même ou si ce n'est pas plutôt son observateur qui la dote de marques référentielles qui relèvent davantage de l'univers du langage? Si pour Goethe, c'est notre œil qui produit carrément les couleurs, pour Francis Affergan, la couleur serait plutôt une forme de manifestation transitive permettant à l'œil d'accéder au réel et ainsi de l'interpréter. Elle est donc déjà concept avant de devenir percept. Enracinée au cœur d'une culture, d'un temps et d'un espace déterminés, cette perception peut ainsi se transformer en «code sémiologique»[7].

Peut-on dès lors considérer la couleur en tant que descripteur objectif? Pourquoi s'y attacher? Ce que je vois et qui est déjà grevé de ce que je suis peut-il se transformer en marqueurs syntaxiques, en une suite de signes qui feraient sens dans leur décompte? Ne suis-je pas en train de privilégier certaines marques au détriment d'autres? Que dire alors du bruit, des odeurs, des sons? Des silences et des inattentions qui accompagnent bien souvent la séance d'observation? Comment ce qui est devant moi peut-il constituer la base objective de mon discours ultérieur?

Il faudrait faire un jour l'histoire de ces rejets et de ces multiples «chutes» qui s'effectuent dans le jeu de l'observation. Peut-être y verrait-on se profiler une tout autre image, tel l'envers d'un vêtement avec ses nombreuses coutures. Or, s'il est vrai que les marqueurs symboliques que sont la couleur et la nudité en ethno-anthropologie ou la couleur et les lignes en langage visuel permettent à certaines approches qui ont pris racine sur le sol mouvant des sciences humaines de se constituer en discipline scientifique, il y aurait lieu de se questionner sur le transfert que l'on accomplit au nom de cette belle objectivité. D'une activité arbitraire, fluctuante et imprécise à souhait (l'observation), l'on fonde un discours qui prend des airs de vérité.

Ce que l'on dit: la question du métalangage

Comment le langage, peut-on se demander à la suite de l'auteur, peut-il rendre compte adéquatement d'une séance d'observation basée principalement sur une perception visuelle tant soit peu parcellaire et culturellement biaisée? N'y aurait-il pas rupture ou à tout le moins changement de niveau entre le vu et le dit, entre l'expérience sensorielle et l'interprétation écrite qui en découlera? De plus, si la perception d'un être ou d'une chose n'est jamais définitivement close, si elle s'accompagne au contraire de retours et de vérifications ponctuelles, comment puis-je la transposer et la figer dans l'ordre des mots? Ce qui est visible peut-il se couler dans ce qui est lisible? Mais alors, selon quel ordre, en fonction de quels paramètres? La transmutation effectuée par l'observateur entre les deux plans n'est-elle pas idéelle et réduite au seul discours qu'il en fera? Peut-on parler de transfert ou de perte voire de «trahison déformante»[8] comme le fait Affergan dans *Exotisme et altérité*? De l'hétérogène de la vision, je passe sans coup férir à l'homogénéité de la parole écrite. Je rassemble ce qui n'était en fait qu'une multitude d'éléments faisant appel à tous mes sens. J'érige une observation partielle et subjective en discours qui prend valeur de constat. Peut-on établir une équivalence entre les signes-mots qui vont bâtir le discours de l'observateur et les marques ou signes repérés sur la surface de l'objet observé? Un signe iconique possède-t-il automatiquement son correspondant linguistique? Comment trouver celui qui serait capable d'incorporer tous les autres sans en réduire la portée? À moins que l'on n'opte, tel le courant longtemps dominant du monde anglo-saxon, pour les procédés algorithmiques transposant en formules mathématiques et règles opératoires notre rapport au monde. Le résultat qui en découle favorise en fait plus de questions que de réponses.

Or, le discours scientifique que tiendra l'observateur orientera et déterminera une certaine façon de voir et d'interpréter un objet ou une personne à partir, ne l'oublions pas, de traits qui sont obligatoirement partiels et subjectifs. Repris, transformés sur le plan de la parole écrite ou verbale, ces traces prélevées sur l'objet d'analyse formeront un discours de la signification, plaçant du coup son auteur en tant que spécialiste privilégié de l'objet. C'est grâce en effet à cette parole engendrée après coup que l'auteur du discours légitime et confirme sa position de spécialiste. Il pourra ainsi se targuer d'être celui «... qui est capable de voir ce que les autres ne savent pas voir»[9] et cela, malgré ses dénégations empressées. Ne sait-on pas que le simple fait d'écrire et de tenir un discours sur un objet à travers les tribunes légitimées de l'art (revues et collections spécialisées, cours, conférences, etc.) en fait une sorte de démiurge de la question? Pour Affergan, tout discours sur quelqu'un ou quelque chose détient quatre fonctions principales. Il est judicatoire parce qu'en disant une chose, «... on ne peut pas ne pas la juger[10]». Or juger d'une chose, c'est lui conférer de surcroît une certaine valeur, d'où sa fonction axiologique ou évaluative. De plus, s'il est essentiellement déictique, dans sa façon de faire voir certaines marques ou traces, comme nous l'avons vu, il se targue d'être déontique puisque les marqueurs retenus règlent d'avance ce qu'il conviendrait de voir et de faire dans certains cas. Dès lors, comment prétendre à une forme d'objectivité sous le couvert du savoir scientifique? Peut-on négliger cet individu que l'on nomme le spécialiste de la question?

Qui parle? ou la question du sujet

La grande majorité des disciplines faisant partie de la grande famille des sciences humaines se retrouvent aujourd'hui avec cela même qu'elles ont tenté pendant des années d'évacuer: l'auteur de l'énonciation. Derrière tout discours se cache en effet celui qui vise désespérément la transparence et l'oubli. Or, malgré son extrême pudeur, il «... s'énonce lui-même en train de parler de l'objet[11]» comme le fait remarquer pertinemment Benveniste. Autant le dire tout de go: plus il tente de s'effacer et plus il se dessine en creux dans le texte qu'il élabore. Il signifie dans le mouvement même de sa propre négation. À tant vouloir se mouler à la neutralité et à l'objectivité, il ne fait qu'entrer de plain-pied dans le jeu de ceux qui prétendent détenir la vérité. Car l'ordre du langage est bien aussi celui du pouvoir. Autant dès lors se le dire et assumer une subjectivité qui de toute manière est au rendez-vous.

Car qui choisit, en effet, les traits les plus prégnants de l'observation? Qui regarde et qui parle? Non seulement à partir de quelle position, mais selon quel point de vue, quelle sensibilité? Il serait peut-être temps d'avouer que c'est notre propre regard qui observe et décrit. Qu'il existe dans ce jeu complexe du voir et du dire un être de chair et d'humeurs parfois vagabondes qui s'investit et se commet avec ses doutes, ses avancées et ses reculs.

Faut-il pour cela se fondre avec l'objet observé? Verser dans le jeu tout aussi ambigu des émois esthétiques? Comment départager la plage laissée vide entre l'objectivité pure et une subjectivité à tout crin? Il faut qu'il y ait éloignement, nous dira Affergan, distance, non spatiale mais culturelle, en refusant d'entrée de jeu tout jugement a priori sur l'objet observé. Regarder et non plus voir, permettre ainsi à cette vision de se retourner sur elle-même et entrer en interaction avec l'espace de l'Autre. Attendre, entendre, «... se laisser approcher par l'inattendu et l'imprévu», faire siens les écarts, les inattentions et ainsi «... creuser des failles dans le réel[12]». Écarts qu'il n'est pas nécessaire de combler à tout prix par les mots. Laisser au contraire surgir ce qui *nous* advient.

Or, s'il est nécessaire de savoir qui parle, il l'est tout autant de connaître son locutaire. Le public ne constitue pas de son côté une instance neutre et indifférenciée. L'auteur du discours ne s'adresse pas à la «science» mais à des individus faisant partie d'un groupe social donné, d'une communauté d'intérêts et d'une certaine culture. Des deux bouts de la chaîne, il y a des sujets-corps et non des entités abstraites. Ni celui qui parle ni celui qui lit ou écoute ne peuvent prétendre à l'objectivité. Ni à leur absence. Au contraire, corps, présence, regard, durée, appréhensions sont au rendez-vous, nous dira Affergan, et le locuteur se doit d'en tenir compte lorsqu'il parle. Réunis autour d'un même objet, pris tous les deux dans les mailles du texte, ils mettent en scène une représentation idéologique et culturelle qu'on ne peut passer sous silence. Peut-être alors, et alors seulement, le travail du spécialiste se déplacera-t-il de l'écueil inévitable du voir et du dire à celui plus large des situations en cause et de la culture dont il est question.

Vers quelques pistes de réflexion

Les réflexions de Francis Affergan en ethno-anthropologie ouvrent la voie à une tout autre conception du rôle de «celui qui sait voir et dire». S'il faut en effet dépasser la plate-forme, avouons-le, inconfortable du spécialiste de l'observation minutieuse pour entrer dans celle du dialogue entre toutes les parties impliquées, il ne faudrait pas négliger, et cela plus précisément dans le domaine de l'histoire de l'art, la parole de celui ou de celle qui forme l'origine de la chaîne qui s'enroule autour de l'objet d'art: l'artiste. Relégué aux oubliettes depuis quelques décennies au profit de l'historien qui a investi parole et savoir, l'artiste se doit de retrouver une place qu'on lui a, d'une certaine manière, usurpée. Spectateur et producteur à la fois de son œuvre, il en est peut-être le seul véritable «spécialiste», si nous tenons tant à ce qu'il y en ait un.

Réinsertion du producteur. Attention particulière aux spectateurs-lecteurs, place à une subjectivité qu'on n'a jamais réussi à gommer complètement, le travail sur l'objet se voit aujourd'hui doublé par l'introduction dans le champ de l'art des nouvelles technologies. Quand en 1983 Michael Klier installa une caméra de surveillance dans des lieux publics qui enregistrait et stockait ce qui se passait (passants, automobiles, objets anodins), l'ère de l'objet «qui voit» venait de s'ouvrir. À quoi nous servira-t-il désormais de décrire des objets d'art qui «ne sont pas là»? Comment le discours de l'historien pourra-t-il composer avec des éléments qui le regardent et l'envahissent? Voir et dire se retrouveront en quelque sorte de l'autre côté de la clôture. À tout prendre, ne vaudrait-il pas mieux commencer à redéfinir notre rôle avant que ces objets ne nous prennent de court? Merci, Francis Affergan.

Notes

1 Pour paraphraser le titre célèbre *Quand dire, c'est faire* d'Austin.

2 Affergan, Francis, *Exotisme et altérité. Essai sur les fondements d'une critique de l'anthropologie*, Paris, Presses Universitaires de France, coll. «Sociologie d'aujourd'hui», 1987, 295 p.

3 *Ibid.*, p. 21.

4 *Ibid.*, p. 138.

5 *Ibid.*, p. 146.

6 *Ibid.*, p. 163.

7 Affergan fait ici référence à Sahlins, M., «Colors and cultures», *Semiotica*, 1976, 16(1), p. 1 à 22, cité p. 172.

8 *Ibid.*, p. 146.

9 *Ibid.*, p. 66.

10 *Ibid.*, p. 207.

11 Affergan fait ici référence aux travaux d'Émile Benveniste dans *Problèmes de linguistique générale*, Paris, Éd. Gallimard, 1966, cité p. 258.

12 *Ibid.*, p. 143 et 144.

Et si l'interprétation était une «catastrophe»!

NYCOLE PAQUIN

Le cadre cognitif

D'un point de vue esthétique et sémiotique, nous questionnerons les conditions d'interprétation des images. Après avoir posé quelques-unes des assises générales de l'acte interprétatif, nous porterons une attention toute particulière à un agent périphérique à la perception visuelle: le langage verbal. Nous verrons comment ce langage, que nous traiterons comme habitude linguistique ou comme «présence», peut avoir quelque incidence sur l'accommodation du sujet à l'objet d'art. L'objectif de cette brève réflexion est de comprendre comment le sujet est «affecté» par les images et par quel processus il peut les interpréter.

Retenons le postulat suivant: voir, goûter un objet d'art n'est pas uniquement un acte de vision dans le sens physique et mécanique du terme. Il ne relève pas non plus exclusivement des sensations possiblement rabattues sur le langage verbal. Dès que nous percevons, nous sommes en acte de cognition et, par conséquent, en position d'interprétation[1]. Cette interprétation, qui est d'abord celle de notre propre situation face à l'objet, résulte des interrelations entre divers agents perceptifs dont nous tenterons de souligner les rabattements réciproques.

Avec François Rastier, empruntons l'hypothèse suivante: la cognition est un processus de catégorisation, de corrections, d'ajustements synthétisés et cadrés en simulacres multimodaux, c'est-à-dire en représentations mentales qui sont le résultat de facteurs tout autant physiques, sensoriels que culturels. Ceci revient à dire que l'acte de cognition qui en est un d'interprétation, voire d'auto-interprétation, n'est pas un simple fait de reconnaissance[2].

Par ailleurs, la cognition ne serait pas une conséquence strictement tributaire des affects. À moins que nous admettions que les affects soient toujours hybrides, sans distinctions nettes entre le biologique, l'émotif, l'intellectuel et le culturel. De telles admissions nous écartent de l'idée d'une structure symbolique qui serait préalable à la cognition des œuvres, en même temps qu'elle récuse le postulat d'une perception «directe» des images[3]. Paradoxalement, chez le sujet et par lui, grâce à la représentation mentale, l'interprétation de l'œuvre, dans le sens de cognition, «commence» *in presentia*. Elle dépend de sélections, de fragmentations, de cadrages, en un mot de «catastrophes» qui obligent le sujet à se distancier de son savoir et de ses expériences antérieures. En ce sens, l'interprétation est toujours autocritique et critique, non seulement sur l'image, mais sur le monde.

On a l'habitude de dire que le sens fuit, qu'il nous échappe. Par désir de comprendre les choses, par nécessité d'installer des balises générales et permanentes, on cherche constamment à circonscrire des «noyaux» de sens. Tout ce qui se soustrait à la saisie, on dit que ça fuit malgré nous. On prête par là au sens une vie autonome qui nous arrange et nous console de notre propre inaptitude à cerner le tout avec certitude. Fin vingtième siècle, la question de l'incertitude et de l'échappement du sens ne semble plus gêner les chercheurs, mais elle reste profondément ancrée dans la culture.

Dans la mesure où les sciences cognitives[4] nous invitent à remodeler nos schèmes de pensée, à reformuler nos hypothèses et à admettre que la cognition est un acte où tous les agents s'entrecroisent. Il nous faut dès lors accepter que le sens ne fuit pas, plus encore, qu'il n'y a pas de sens fini *a priori* des choses, des œuvres d'art. Dit autrement, il n'y a pas de cadre *a priori* ou *a posteriori* du sens. Nous le construisons par fragments et nous le cernons provisoirement au fur et à mesure de nos expériences. Nous en laissons des traces plus ou moins fugaces dans notre mémoire: traces que nous transmettons parfois par le langage et qui serviront à leur tour de substrat cognitif, c'est-à-dire de lieu de cognition ou d'interprétation pour l'autre.

Interprétation ou usage?

À la fin des années 80, Umberto Eco faisait état des différentes théories de la réception en manifestant ses «incertitudes et ses interrogations» à propos de «l'infiniment interprétable[5]». Ces théories parfois tout à fait irréconciliables les unes avec les autres ont certainement bousculé notre compréhension des actes interprétatifs. Dans une jointure heureuse avec la sémiotique, l'esthétique est dorénavant associée à la réception de l'œuvre (littéraire ou autre), aux divers mécanismes de perception, plus précisément à *l'interprétation* que Eco nous encourage à ne pas confondre avec *l'usage.*

L'usage consiste à prendre l'objet de perception comme écran ou comme prétexte pour en arriver à des fins autres que les modes de présentation et de représentation. *L'usage*, par exemple, analyse l'auteur plutôt que le texte. Par ailleurs, *l'interprétation* prend l'objet comme lieu de la formation du sens, c'est-à-dire comme espace fournissant des pistes de sens. Cependant, il conviendrait de distinguer deux types d'interprétation: l'interprétation *sémantique* et l'interprétation *critique.* La première serait «le résultat du processus par lequel le destinataire placé devant la manifestation linéaire du texte l'investi(rai)t d'une signification[6]»; la seconde, critique ou sémiotique, serait «celle par laquelle on cherche(rait) à expliquer les raisons d'ordre structural qui font que le texte peut produire telle ou telle interprétation sémantique déterminée[7]».

Ces concepts ne peuvent pas être importés dans le domaine des arts visuels sans modifications et adaptations pertinentes à l'objet d'étude. Retenons cependant les nuances apportées par Eco: usage/interprétation; interprétation sémantique/interprétation critique. D'un point de vue franchement *pragmatique* qui cherche à comprendre les conditions de l'interprétation des images, c'est-à-dire tout ce que le sujet doit tisser et détisser pour en arriver à interpréter ce qu'il perçoit, c'est plutôt l'interprétation critique qui nous intéresse.

Or, pour l'esthéticien et le sémioticien des arts visuels, il est primordial de reconnaître que l'interprétation est une évaluation à la fois structurale «et» sémantique. L'art abstrait nous conduit à raffiner nos positions et à bien voir que la sémantique n'est pas uniquement une question de contenu dans le sens courant du terme. La forme même de l'objet, l'organisation spatiale des graphèmes contient également un potentiel signifiant. Dans une visée interprétative, la perception des structures spatiales conduit nécessairement à une évaluation sémantique de cette même structure.

La catastrophe

Dans un article intitulé *Local et global dans l'œuvre d'art*[8], René Thom pratique une théorie des catastrophes qu'il a originellement pensée dans le domaine des mathématiques[9]. Thom cherche à profiler une origine commune au savant et à l'artiste, un «imaginaire» commun qui dirigerait leurs actions respectives. Bien que notre intérêt porte plutôt sur le sujet en réception (artiste et tout autre regardant) et non sur la production de l'image, empruntons-lui l'idée suivante: *«toute chose n'existe en tant que chose individuée que dans la mesure où elle est capable de résister au temps pour un certain temps*[10]». Ainsi, *«toute existence est l'expression d'un conflit entre l'érosion, dégradation de durée // et un principe abstrait // de permanence qui assure la stabilité de la chose: son "logos"*[11]».

Nous ferons quelque peu écart à la catégorisation de Thom, dans la mesure où il n'accorde aucune importance à la présentation de l'objet ou à son lieu physique d'exposition, à l'angle de présentation, aux dimensions ou au format géométrique global. Chez Thom, pas un mot sur la matière ou sur la texture; silence sur ces unités que nous considérons comme partie intégrante de la perception de l'œuvre; aucune mention du corps comme agent perceptif.

Malgré cela, nous conservons les principes fondamentaux de la théorie, puisqu'ils touchent les relations ponctuées entre la partie et le tout, entre le «bord» et le «fragment», et nous encouragent à ouvrir la problématique picturale en y intégrant le concept de lieu entendu comme point de rupture.

Bien entendu, différentes formes d'art obligent à des types de ponctuations spécifiques. Cependant, elles ont toutes en commun d'être reçues par et à travers leur matière plus ou moins discrète. Partant de là, considérons pour le moment tout objet d'art comme «chose», comme espace unique dans un lieu X perçu à un moment donné par un regardant lui aussi objectivé en raison de sa participation physique à l'espace de l'objet.

Incluons la matière aux valeurs prégnantes retenues par René Thom. Elle localise le temps de la réception des formes abstraites ou figuratives. Ainsi, il faudrait comprendre non seulement un «logos», mais aussi un «topos» de la matière, une sémantique du lieu et des facteurs matériels, un substrat double à la fois *géométrique* (défini par la mesure du temps dans cet espace) et *axiologique* (fondamentalement orienté dans le passé vers l'avenir).

Chez Thom, *«la transition passé (vers) l'avenir est marquée par la discontinuité du Présent*[12]». Chacun des deux termes du substrat (géométrique et axiologique) joint l'espace et le temps. Ensemble, le versant géométrique et le versant axiologique ne sont pas relatifs uniquement à l'espace ou au temps. Il s'agit de ruptures spatio-temporelles, de catastrophes que le regardant accomplit obligatoirement. La réception de l'image, tout comme sa mise en forme par l'artiste, est un jugement de tous ordres qui ne répond pas nécessairement à une intuition *a priori*. Cette précision est capitale, puisqu'elle positionne la théorie de Thom et notre propre hypothèse à distance de la tradition kantienne qui a marqué l'esthétique[13].

La perception incarnée

Admettant que la cognition de l'image n'est pas juste une saisie, mais un acte originel d'organisation auquel participent tous les intervenants perceptifs, le corps que l'on peut difficilement exclure de la pensée interprétative y joue d'ailleurs un rôle prédominant[14]. Une de ses fonctions reliée à la perception visuelle est d'emprunter un point de vue idéal dont dépend la «meilleure» perception de l'ensemble et des détails de l'image.

Or, méthodologiquement, cette idéalité perceptuelle peut être évaluée selon les cas particuliers de présentation des œuvres selon le format du support, son angle de présentation et la forme géométrique de son pourtour, sans que l'on puisse cependant la quantifier. Par exemple, mesurer empiriquement la durée des déplacements conditionnels à la position idéale serait absurde. Ce sont plutôt les phénomènes de perception qui nous intéressent, c'est-à-dire le processus cognitif relatif au corps du sujet qui doit s'accommoder de ses propres stimuli.

Maurice Merleau-Ponty avait déjà soutenu que «quelque chose» des «premiers effets» produits par la matière sur le corps allait demeurer présent et prégnant[15]. Cette hiérarchie temporelle est extrêmement problématique puisqu'elle suppose une perte partielle, un sacrifice, une érosion irréversible et permanente d'une bonne partie des effets premiers. Cette notion d'un «reste» (biologique) encore à l'œuvre chez Merleau-Ponty est bien différente des concepts de Thom qui argumente le concept d'un conflit duratif entre l'érosion et la permanence. Il n'y aurait pas ce «quelque chose» encore au travail malgré la sélection du point de vue idéal, mais «des choses», des agents «constamment» en dynamique interactive. Quand un agent «semble» superflu à l'idéalité perceptive, il ne cesse pas de participer à la cognition, donc à la production du sens de l'image.

Avant de procéder à l'analyse d'un type particulier d'objet d'art, retenons surtout ceci: ce qui semble être laissé pour compte, tout ce qui semble peu pertinent à l'interprétation de l'image dépend d'une catastrophe à effets dynamiques. Il s'agit d'un travail conflictuel et constant de tous les agents de réception et de tous les éléments de l'image, y compris son «encadrement», c'est-à-dire tout ce qui touche la matière proprement dite. La rupture n'est pas initiale et finie, mais ponctuelle et répétitive. Alors, pas de libération esthétique, pas de soumission passive à l'objet, pas d'obéissance strictement visuelle, mais plutôt un débat continu entre tous les agents de réception.

Une autre histoire

Prenons l'exemple de la peinture de la Renaissance organisée sur le principe d'un seul point de vue/un seul point de fuite et dont Erwin Panofsky a admirablement souligné les enjeux politiques et philosophiques[16]. Or, la tradition panofskyenne nous porte à croire que si ces images centralisantes visaient à tenir le sujet à un seul point de vue idéal qui lui permettait de saisir la globalité de «l'idée» de l'image, le corps devait se retirer, s'oublier, au profit de la vision. On venait, non pas de hiérarchiser les agents de perception, mais de désincarner le sujet, de l'éthérer, de le soumettre à une soi-disant structure symbolique *a priori* et, par conséquent, de l'enchâsser dans le corps social, comme si le (vrai) sens de l'image était «déjà là» devant être subi ou assumé *a posteriori*.

Ce que les théories de la cognition nous proposent de reconnaître et de comprendre dans de tels cas de représentation, ce n'est pas un sens ou une structure *a priori* de l'image, ce qu'elle voudrait(!) dire, mais le conflit conditionnel à ce que le sujet peut en faire et possiblement en dire. Par le fait même qu'il accepte de s'immobiliser, du moins pour un certain temps, le sujet n'obéit pas à une structure externe qui serait celle de l'image, mais à ses propres évaluations ou structurations en vue d'une idéalité perceptive. Dans les mots de Thom, c'est d'ailleurs ce contrôle «catastrophique» du corps qui permet l'interprétation du projet pictural. Autrement dit, devant ces images, c'est justement le corps immobilisé qui agit comme cadre, comme agent primordial et paratopique, c'est-à-dire, selon les termes de Greimas, comme «lieu où se réalisent les performances[17]».

Devant ces images, dans la mesure où il choisit de s'immobiliser dans le but de s'approprier le lieu pictural, le corps percevant et pensant «introduit» le concept de la centralisation à l'ensemble de l'image. Il interprète l'image, lui donne sens et confirme ainsi le projet pictural instauré par l'artiste qui a dû lui aussi accomplir les mêmes actes d'accommodation. Avant de devenir projet social, le concept de centralisation ou tout autre concept déductible de l'organisation spatiale des surfaces commande d'abord l'organisation et la projection du corps subjectif. Citons Mark Johnson: «la relation entre l'objet et le sujet est une interaction constante de changements. La réalité est ce que nous expérimentons à travers nos expériences, à travers nos cognitions interactives[18].»

Les limites du langage verbal

L'expérience esthétique est souvent accompagnée d'un «trop-plein» que les mots n'arrivent pas toujours à désigner avec assurance. Dans le langage de tous les jours que l'on néglige trop souvent sans en apprécier les manifestations spontanées, mais combien éclairantes, n'a-t-on pas l'habitude de dire d'une chose difficile à qualifier «qu'il n'y a pas de mots pour la dire...», «qu'elle est *too much!*». Ces expressions populaires qui font souvent entorse au bon usage de la langue traduisent parfois le sens du surplus esthétique de façon plus claire et plus immédiate que le discours officiel. Tout au moins, elles expliquent en peu de mots que tout ne peut pas être dit...

Ce surplus, ces zones embêtantes gauchement articulées n'ont rien à voir avec l'ignorance ou l'incompétence visuelle ou linguistique du regardant. Elles répondent à un jugement de valeurs communément qualifiées d'insaisissables, alors qu'elles ne seraient que le résultat de l'inadéquation entre le visuel et le verbal. «Un mot, dit Jacques Ninio, ne peut nommer une chose que s'il s'est établi, dans le cerveau, une liaison physique entre la représentation du mot et celle de la chose[19].» Mais voilà, le jugement esthétique n'est pas uniquement un jugement de «chose»... Ce que nous parvenons mal à dire ou à nommer (les deux termes ne sont pas synonymes), ce n'est pas l'objet, mais ce que nous ressentons devant lui. C'est plutôt le sujet qui ne peut pas se dire lui-même dans la globalité de son expérience.

À la suite de Chomsky qui comprend l'apprentissage du langage (verbal) comme étant une faculté innée, universelle selon une nécessité biologique et distincte du système cognitif (contraint *a priori*)[20], mais accordant beaucoup plus d'importance à la formation des représentations mentales, Jerome Bruner soutient que l'interprétation (narrative) est un outil de négociation et de renégociation de sens et que cette «pratique» (qui est plus qu'une habilité) garantit la stabilité du sujet[21]. Cette habitude ne pourrait pas être comprise comme seul lieu d'interprétation ou même comme lieu privilégié qui viendrait valider l'expérience. Le but de l'interprétation narrative dont nous avons une prédisposition innée, dit Bruner, n'est pas pour le sujet de réconcilier, de légitimer ou d'excuser son expérience, mais de se l'expliquer, «to get the story right[22]».

Bon nombre de chercheurs s'opposent à cette position innéiste jugée restrictive et optent pour une étude des mécanismes et des fonctions cognitives qui distinguent le système verbal du système visuel[23]. Ces diverses études devraient nous convaincre que, dans les faits, ces deux systèmes connaissent des fonctionnements fort différents l'un de l'autre malgré certaines liaisons qui nous interdisent d'imaginer un système visuel «pur» ou purement indépendant du langage verbal ou de tout autre type d'intervenant cognitif[24]. D'un point de vue perceptuel des images, il serait malheureux de les confondre[25]. Cependant, nous devrions admettre que l'utilisation du langage verbal participe de nos expériences quotidiennes, un peu comme une enveloppe omniprésente à laquelle nous avons coutume d'accéder automatiquement.

Selon Peter Berger et Thomas Luckmann[26], «la réalité quotidienne s'organise autour du ici de mon corps et du maintenant de mon présent[27]». Dans l'expérience esthétique, un changement radical prend place dans la conscience, ceci dans un contexte quotidien, voire «anthropologique» qui «demeure souverain». «Le langage commun qui est accessible dans le cadre de l'objectivation de mes expériences est enraciné dans la vie quotidienne et reste braqué sur lui-même si je l'utilise afin d'interpréter des expériences ayant trait au domaine fini des sens[28].» Ainsi, «je déforme la réalité des sens qui doivent être finis dès que j'utilise le langage commun pour les interpréter[29]».

Paraphrasons: dès que je regarde une œuvre d'art, je perçois en même temps que je «peux» me parler et je vise à construire une réalité provisoirement fermée, un noyau. Je sature mon expérience esthétique par le fait même que je peux me tenir un discours. J'ai la capacité et l'habitude d'utiliser un moyen de formulation commun à toutes les formes de communication non esthétiques et j'entre ainsi en conflit non seulement avec les agents perceptifs (non verbaux), mais avec le monde quotidien à qui j'emprunte le langage. Plus encore, je suis en parallèle cognitif avec les simulacres ou les représentations mentales par lesquelles je formalise mes saisies sensorielles.

Non seulement l'utilisation, mais la connaissance même du langage (et non d'une langue particulière) incommode l'espace-temps global de la perception, conséquemment celui de l'interprétation. L'interprétation «pure» et utopique devrait pouvoir se dispenser du langage verbal...

La position de Berger et Luckmann est à la fois séduisante et gênante. Séduisante parce qu'elle brise le carcan des théories qui font fi des agents périphériques à la vision, mais gênante parce que ces agents, y compris le langage verbal, ne pourront jamais être quantifiés dans l'acte même de la réception de l'œuvre. Le langage verbal importé à la perception des images construit des réalités qu'il nous est impossible de mesurer quantitativement à l'intérieur même de la perception. Rappelons que ce ne sont pas les mots comme tels qui influent, saturent et déforment l'expérience esthétique, mais l'habitude et la pratique quotidienne du langage verbal comme outil d'interprétation. Précisons aussi que ce langage verbal omniprésent en pourtour du visuel n'est pas strictement relié aux images figuratives.

Qu'il s'agisse d'œuvre abstraite ou d'œuvre figurative, l'intrusion du langage verbal dans l'expérience esthétique prend sa pertinence dans la mesure où le principe de saturation nous permet d'analyser les écarts entre l'interprétation *in situ* et le discours tenu et diffusé. Le commentaire sur l'œuvre formulé de vive voix ou transcrit par l'écriture est le résultat d'un mélange et d'un écart. Il est un autre lieu qui ne peut d'aucune manière «traduire» la perception sensorielle. À distance, il en parle sans la dire. C'est d'ailleurs grâce à cette distance, à ce parallélisme du verbal aux agents perceptifs que l'interprétation peut être non pas reconduite, mais transcodée avec pertes et gains.

Échappement...

Ceci est loin de clore le débat sur les conditions interprétatives des images. À bien y penser, à chaque fois que l'on s'attarde sur un agent particulier d'interprétation, même sur ceux qui nous semblent les plus aptes à être circonscrits, on se rend compte qu'aucun ne peut être cerné de manière définitive.

L'interprétation des œuvres d'art se passerait comme si tout se faisait à côté de l'image! Même l'interprétation la plus formelle n'échapperait pas à la formation de simulacres ou de représentations mentales et c'est d'ailleurs parce qu'elle ne pourrait pas s'en soustraire qu'elle ne peut être dite que partiellement ou «autrement». Ceci subsume que la description (perceptive) est déjà une interprétation et que, comme toutes les autres interprétations, elle correspondrait à un dérèglement de l'objet et du sujet[30].

L'interprétation est un acte de violence, une catastrophe, un acte de «mésinterprétation» (le mot est de Eco[31]), *un acte de méconnaissance... une cognition.*

Notes

1 Pour une synthèse exceptionnelle des différentes théories en psychologie cognitive, on se référera à Claudette Fortin et Robert Rousseau, *Psychologie cognitive. Une approche de traitement de l'information*, Québec, Presses de l'Université du Québec, 1992, 434 p.

2 *Sémantiques et recherches cognitives*, Paris, PUF, 1991, 262 p.

3 Les chercheurs entretiennent un débat vif sur la question de la perception directe (*seeing in*) par opposition à la perception indirecte (*seeing as*), chacune des factions ayant donné lieu à une école de pensée. Pour une synthèse des diverses avenues, on lira James E. Cutting, *Perception with an Eye for Motion*, Cambridge, Massachusetts, A Bradford Book, 1986, 306 p.

4 Les nombreuses recherches en sciences cognitives ont donné lieu à une littérature abondante. Pour une synthèse éclairante de ces différents points de vue, on lira Gary Hatfield, «Representation and content in some (actual) theories of perception», *Studies in History and Philosophy of Science*, vol. 19, n° 2, janvier 1988, p. 175 à 214.

5 «Notes sur la sémiotique de la réception», *Actes sémiotiques* (Documents), vol. 9, n° 81, 1987, p. 5 à 27. Eco élabore ses réflexions dans *The Limits of Interpretation*, Bloomington, Indiana University Press, 1990, 295 p.

6 *Ibid.*, p. 17.

7 *Ibid.*, p. 18.

8 *Le débat*, n° 24, mars 1983, p. 73 à 89.

9 *Paraboles et catastrophes. Entretiens sur les mathématiques, la science et la philosophie*, Paris, Flammarion, 1980, 180 p.

10 *Ibid.*, p. 74.

11 *Ibid.*, p. 74 et 75.

12 René Thom, *loc. cit.*, p. 74.

13 Chez Kant, le temps déterminerait le rapport des représentations de notre état intérieur comme condition formelle *a priori* de tous les phénomènes en général. L'espace, comme forme pure de toute intuition externe, ne servirait de condition *a priori* qu'aux phénomènes extérieurs. «De l'espace et du temps», *Critique de la raison pure*, Paris, Garnier-Flammarion, 1976, page 9 à 30. Toujours chez Kant, «pris ensemble, l'espace et le temps sont les formes pures de toute intuition sensible et c'est ce qui rend possible toute proposition synthétique *a priori*» . «Transcendantal Ideality of Space and Time», *Problems of Space and Time*, textes originaux édités et présentés par J.J.C. Smart, New York, Paul Edwards General Editor, MacMillan, 1964, p. 104 à 125.

14 Un des éléments les plus importants de la cognition est cette jointure entre le corps et l'esprit. Les recherches actuelles s'accordent pour les relier l'un à l'autre dans le but d'étudier le sujet comme agent complexe. Sur cette jointure corps-esprit, on consultera tout spécialement Mark Johnson, *The Body and the Mind. The Bodily Basis of Meaning. Imagination, and Reason*, Chicago, The University of Chicago Press, 1987, 233 p.

15 *Phénoménologie de la perception*, Paris, Gallimard, coll. «Tel» , 1945, 189 p.

16 *La perspective comme forme symbolique*, Paris, Les Éditions de Minuit, 1975, 273 p.

17 A.J. Greimas et J. Courtés, *Sémiotique. Dictionnaire raisonné de la théorie du langage*, Paris, Classiques Hachette, 1979, p. 269.

18 «Knowing through the Body», *Philosophical Psychology*, vol. 4, n° 1, 1991, p. 3 à 18.

19 *L'empreinte des sens. Perception, mémoire, langage*. Paris, Odile Jacob, Points, 1991, 310 p.

20 De Noam Chomsky, on lira tout particulièrement *Le langage et la pensée*, Paris, Petite Bibliothèque Payot, 1968, 148 p. et *Réflexions sur le langage*, Paris, Flammarion, Champs, 1977, 282 p.

21 Jerome Bruner, *Acts of Meaning*, Cambridge, Harvard University Press, 1990, 181 p.

22 *Ibid.*, p. 95.

23 Les ouvrages de référence portant sur la distinction des systèmes est considérable. On consultera surtout les écrits fondamentaux de Allan Paivo, *Imagery and Verbal Processes*, New Jersey, Laurence Erlbaum Associate Publishers, 1979, 596 p. et *Mental Representations. A Dual coding Approach*, New York, Oxford Psychology Series, n° 9, Oxford University Press, 1990, 322 p.

24 J. Coulter et E.D. Parsons, «Praxiology of Perception: Visual Orientations and Practical Action», *Inquiry*, n° 33, 1990, p. 251 à 272.

25 Les études de Fernande Saint-Martin sont tout à fait convaincantes à cet effet. *Sémiologie du langage visuel*, Sillery, Presses de l'Université du Québec, 1987, 307 p. et *La théorie de la gestalt et l'art visuel. Essai sur les fondements de la sémiotique visuelle*, Sillery, Presses de l'Université du Québec, 1990, 147 p.

26 *La construction sociale de la réalité*, préface de Michel Maffesoli, Paris, Méridiens, Klincksieck, 1986, 288 p.

27 *Ibid.*, p. 40.

28 *Ibid.*

29 *Ibid.*

30 À la suite des études de Wittgenstein sur le langage, particulièrement sur les «propositions» qui montrent la chose sans la dire, la philosophie s'est penchée sur la logique des discours interprétatifs. On lira sur le sujet A.W. Moore, «On Saying and Showing», *Philosophy*, vol. 62, oct. 1987, p. 473 à 497 et Norman Malcolm, «Language Without Conversation», *Philosophical Investigations*, vol. 15, n° 3, juillet 1992, p. 207 à 214.

31 *Loc. cit.*, p. 24.

Modèles et sérialités: considérations sur quelques situations limites

MICHEL PARADIS

Préliminaires

Prémisses

La première difficulté soulevée par la thématique de ce recueil («Les limites de l'interprétation») consistait précisément à l'interpréter. La manière de la comprendre devait, semble-t-il, orienter mon approche théorique dans le développement de cette réflexion.

Comparant les définitions de *Littré* et de *Robert*, j'ai retenu, entre autres propositions, les notions d'extrême pour le concept de «limite», et d'explication, d'attribution de sens, pour le concept «d'interprétation». Ainsi muni de ces alternatives, ai-je tenté de reformuler le thème que j'ai choisi de comprendre comme: «l'extrême dans l'attribution d'un sens». En d'autres mots, jusqu'où peut-on aller dans l'attribution d'une signification à une manifestation artistique quelconque? Ou, si l'on préfère, quand doit-on cesser d'établir des relations signifiantes entre des faits, de parler pour eux, de s'en faire «l'interprète»?

Voyons maintenant ce qu'un historien d'art, dont la double préoccupation porte sur la statuaire religieuse gothique et l'art québécois ancien, peut tirer, pour son enseignement personnel et l'élaboration de ses recherches, de ces axes de réflexion. Qu'on ne cherche donc pas dans ces lignes de réponses précises, mais plutôt des questions pertinentes.

Données du problème

a) La statuaire gothique monumentale:

Dans un texte paru lors de l'exposition «Les fastes du Gothique», Françoise Baron a mis en évidence le problème de l'interprétation en fonction d'un modèle, de groupes d'œuvres produits dans les ateliers de sculpteurs français du XIVe siècle, groupes dont la profusion (tout autant que l'anonymat des auteurs) continue d'étonner:

> Les répétitions d'un même modèle donnent naissance à des groupes que seule une étude systématique permettrait de vraiment définir. Elles auraient pu engendrer la monotonie s'il n'existait heureusement d'appréciables variantes d'iconographie et de style[1].

La difficulté consiste ici à établir une relation entre un groupe d'œuvres dont on peut, *a posteriori*, établir stylistiquement l'existence, et le modèle dont on ignore souvent l'aspect, la dispersion géographique et le temps de survie[2] et, par conséquent, l'influence réelle. Tout au plus peut-on raisonnablement pressentir son influence sur la production des sculptures: puisqu'il y a autant d'œuvres présentant des éléments communs, elles doivent sans doute avoir une source commune.

b) La statuaire québécoise ancienne:

Dans un ordre d'idées légèrement différent, John R. Porter propose une relecture du corpus de la sculpture québécoise ancienne à la lueur de la notion d'art populaire. Ainsi suggère-t-il de ne pas séparer arbitrairement en art savant et art populaire les productions québécoises, celles-ci tenant indissociablement des deux courants, à travers les questions de l'apprentissage, des facteurs d'innovation locaux, des sources, etc.

> Née des besoins précis de la société, intégrée aux structures de cette société, dépendante de sources européennes, liée aux contraintes du milieu et tributaire des divers niveaux d'apprentissage, la sculpture ancienne du Québec se présente comme une mosaïque où tradition et innovation s'entremêlent, une mosaïque aussi fascinante par les éléments «savants» que par les éléments «populaires» qu'elle recèle[3].

Ce faisant, l'auteur soulève certaines questions. D'une part, si l'on considère comme caractéristique des œuvres d'art populaire «la présence d'un modèle au départ de leur élaboration[4]», doit-on distinguer le type de «popularité» de ces œuvres selon que le modèle soit lui-même «populaire» ou au contraire «savant»? D'autre part, à quel moment peut-on considérer qu'une œuvre d'art devient pleinement originale et autonome, cessant ainsi d'être issue d'un modèle? Bref, quand «le despotisme de la référence[5]» cesse-t-il d'être signifiant? Pour reprendre Porter, leur manque d'invention par rapport aux sources iconographiques a-t-il empêché nos sculpteurs anciens de créer de grandes œuvres du point de vue de l'originalité ou de l'interprétation stylistique[6]? Quels sont les facteurs de cette diversité et comment les mesurer? Cela, Porter le constate mais n'y répond guère:

> À travers ces grandes catégories [de types de sculpteurs] il existe une multitude de niveaux correspondant à des productions où vont s'affirmer (...) des traits typiques de l'art populaire. Pour bien mesurer la grande variété de ces niveaux, on a tout intérêt à recourir à de longues séries d'œuvres relevant de la même iconographie de base[7] (...)

Que fait-on avec ces séries, comment les aborde-t-on, à quelle méthode d'investigation devrait-on recourir? Tout le problème demeure entier, similaire du reste tant chez Baron que chez Porter. L'étude systématique des groupes d'œuvres et des variations qu'ils engendrent par rapport à un modèle (savant ou populaire) a toutes les chances d'être fort instructive mais elle reste encore à caractériser et à faire.

Arriverions-nous ici à une limite de l'interprétation? Y a-t-il du sens à tirer de cette relation «modèle-sérialité» et ses conséquences sur les groupes d'œuvres produits? L'observation de quelques analyses poussées dans cette voie fournira peut-être des éléments de réponse à ces questions.

Étude de cas

Saint Fiacre

Anticipant en quelque sorte le souhait tacite de Baron et de Porter, Paule et Roger Lerou ont, à l'occasion du 13e centenaire de saint Fiacre en 1970, procédé à une étonnante étude de l'iconographie du saint et sa répartition à travers la statuaire, à partir du XIVe siècle[8]. Recensant à travers la France 522 statues, les Lerou ont constitué une investigation statistique modèle sur un thème très pointu[9] en se basant sur des caractéristiques physiques (taille, matériau), spatiales (répartition départementale française), temporelle (datations présumées) et iconographiques (aspect des attributs, position du corps, etc.). En faisant l'inventaire de toutes les variantes possibles et en établissant de multiples comparaisons et recoupements, les auteurs sont arrivés à la conclusion que la diversité des représentations du saint à travers les «embrayeurs» considérés démontrerait une sorte d'identification universelle des hommes au personnage:

> Les artistes ont traduit dans des œuvres originales, les conceptions diverses du saint, issues des mentalités d'autrefois. Dans le vaste et multiple monde des expressions de saint Fiacre (...) les hommes (...) n'ont-ils pas transposé leurs aspirations dans l'approche facile d'un saint si humain et populaire[10]?

Il est ici tentant de penser que, dans toute cette diversité, l'unique constante serait la fluide perception que l'homme a eue de lui-même en fonction de son espace-temps. Cela justifierait peut-être pourquoi la tentative de dresser un portrait-robot de saint Fiacre en fonction de ses caractères les plus typiques aboutit en fait à une sculpture atypique:

> Ce portrait-robot, construit à partir de statistiques, trouve difficilement son expression dans la réalité (...) La statue qui correspond à ce profil (...) est l'exception de la matière: elle est en pierre (...) Si les différentes caractéristiques de la statuaire, prises séparément ont des traits communs, elles se mêlent pour chaque sculpture en d'infinies variantes[11] (...)

Ainsi, le modèle ne serait pas autre chose qu'une sorte «d'être théorique» qui s'élaborerait en même temps que le corpus, dans l'intégration des variantes possibles.

L'ange adorateur

Sans procéder à une étude aussi exhaustive, Jean Trudel s'est penché sur ce problème des sources dans la sculpture québécoise ancienne. Selon lui, il demeure assez difficile de déterminer ce qu'elles furent réellement et de préciser l'apport créatif d'artistes dont on ignore souvent «s'ils choisissaient de copier ou si on leur imposait des modèles[12]». La part du commanditaire dans l'originalité de l'œuvre n'est pas non plus à négliger dans un contexte où le désir de faire mieux que le voisin *Pour la plus grande gloire de Dieu* devait certainement avoir son rôle à jouer:

> Lorsqu'on avait à décider d'un nouvel élément de décoration d'une église, on n'avait pas d'autres exemples que les églises des environs. Les nouveautés étaient difficilement acceptées mais elles faisaient fureur si une paroisse se risquait[13].

Ce faisant, modifiant un menu détail ici, ajoutant un élément là, les sculpteurs élaboraient des corpus sériels[14] où l'accumulation des variations devait être due autant à la volonté des artistes qu'à des contraintes de réalisation matérielles (diversité des matériaux, capacité technique des créateurs, etc.) ou à des impératifs économiques (rôle du commanditaire, importance de la commandite, etc.).

Considérant sur cette base le thème iconographique assez répandu de l'ange adorateur, Trudel compare un ange attribué à François-Noël Levasseur à d'anonymes anges de corbillard, postérieurs d'un siècle et beaucoup moins élaborés dans leur traitement plastique. Le premier, comme les seconds, fait partie d'un groupe d'œuvres produites en grande quantité pour satisfaire à la demande du temps[15]. Dans un cas comme dans l'autre, les modèles de ces œuvres, quels qu'ils aient pu être, demeurent inconnus. La seule chose certaine au sujet de ces sources paraît être que les premières images «savantes» représentant des anges furent reçues en Nouvelle-France vers 1696[16].

Dans l'ignorance des sources, et face à un commun phénomène de sérialité, l'analyse formelle des deux types de monuments semble être le meilleur moyen dont on dispose pour effectuer une comparaison entre eux. En l'occurrence, elle tendrait à prouver que l'ange de Levasseur, un sculpteur à la maîtrise incontestable[17], est assurément plus savant que les anges de corbillard. Pourtant, Trudel ne peut que s'interroger: «Si l'ange de Levasseur nous apparaît à côté des anges de corbillard, comme une œuvre d'art *savant*... comment pourrait-on (le) qualifier par rapport aux modèles européens[18]?»

Ainsi qu'on le voit, les notions d'art et de sources populaires ou savantes n'offrent guère de prise critique satisfaisante face au problème des œuvres à caractère sériel dans un espace-temps donné.

Rien ne semble autoriser à juger du résultat en se fondant sur les caractéristiques «savantes» ou «populaires» des sources; rien ne permet non plus de prévoir quels seront, pour l'historien d'art, la valeur, le sens d'une œuvre en fonction du modèle ou de la formation de son auteur. Ainsi que le remarque Louis Réau, tout dépend de la perspective qu'on adoptera: «Du point de vue iconographique, l'œuvre d'un modeste artisan peut présenter autant ou même plus d'intérêt que la création d'un artiste de génie[19].»

Force est donc de se rallier, pour l'instant du moins, à l'avis de Trudel:

> La sculpture ancienne du Québec est (...) un art de province (...) conditionné par son milieu culturel et reflétant, par ses formes, les aspects très diversifiés de ce milieu et son évolution. C'est en ce sens qu'on pourrait la considérer comme manifestation d'art populaire[20].

En fin de compte, un corpus d'œuvres dites «populaires» n'apparaîtrait comme tel que par comparaison à d'autres œuvres moins «populaires». Le tout demeure, en dernière analyse, fonction du point de vue de l'observateur, ce que signale Noël Duval dans un article sur l'art populaire dans l'Antiquité tardive: «Sur le terme «sculpture populaire» et sa définition, il est inutile de discuter dans le principe. Il faut se limiter à la région étudiée et prendre des exemples concrets[21].»

La Vierge à l'Enfant

On peut dès lors se demander s'il est pertinent de tenter d'interpréter des corpus d'œuvres à caractère sériel sur la base du rapport modèle-série et à quelle échelle cela peut-il être fait?

C'est la question que s'est posée Louise Lefrançois-Pillion en abordant le corpus des Vierges à l'Enfant dans la statuaire monumentale française du XIVe siècle. Dans un article souvent cité, l'auteur en dénombre de cinq à six cents pour la seule période considérée[22]. En se basant sur les cinq uniques œuvres clairement datées, elle a ensuite tenté de construire un prototype regroupant les caractéristiques les plus fréquentes afin de pouvoir étudier les divergences et les écarts dans toute cette diversité de sculptures. La démarche consiste donc ici à recréer un modèle sur la base d'informations raisonnablement sûres quoique limitées, puis à s'en servir pour classer les autres œuvres du corpus les unes par rapport aux autres, afin de les situer dans leur espace-temps respectif. Bref, induisant un «type pur» à partir d'une formule supposée typique, Mme Lefrançois-Pillion s'efforce ensuite de vérifier comment ce type a pu influencer la production de l'époque[23] et quelles sont, au regard des formes atypiques, les limites de cette influence. En l'absence de tout modèle connu[24] et face à l'abondance d'un corpus d'œuvres pour la plupart anonymes, il est assurément tentant d'essayer de reconstruire, sur la base de caractéristiques intrinsèques, le prototype théorique qui aurait présidé à l'élaboration de ces œuvres.

Il me semble cependant un peu hasardeux de procéder à une telle démarche sur l'étroite base de cinq œuvres considérées comme représentatives parce que leur datation est connue[25], et d'en extraire ensuite un principe général de classification[26]. Tirer du corpus un tel principe qu'on applique ensuite à classer ce même corpus, cela revient un peu à dire, à l'instar de Vladimir Propp, «que les œuvres semblables se ressemblent» (et donc que celles qui diffèrent, divergent). Et cela, toujours en suivant Propp, «ne mène nulle part et n'engage à rien[27]».

Le problème est cependant reconnu par Mme Lefrançois-Pillion qui, s'excusant des lacunes de sa démarche, indique elle-même la voie à suivre: ces investigations, pour être plus serrées, «ne peuvent plus être désormais entreprises avec fruit que dans le cadre régional[28]».

Les ivoires gothiques français

C'est précisément ce type de cadre que s'efforce de caractériser Raymond Kœchlin à propos des ivoires gothiques, dont la principale région de production semble avoir été Paris et l'Île-de-France[29].

La principale difficulté pour qui cherche à classer ce genre d'œuvres demeure leur très grande profusion (Kœchlin en recense plus de mille trois cents du XIIIe au XVe siècle) et l'impossibilité quasi totale de leur attribuer des auteurs ou des ateliers connus. La proposition de Kœchlin, devant cette surabondance d'objets souvent difficiles à dater, a donc été de les grouper par séries, divisant d'abord le corpus en œuvres religieuses et profanes, puis subdivisant encore ces catégories selon leur morphologie:

> Dans chacune des deux parties, d'autres divisions devaient être pratiquées, et nul plan ne nous a paru plus logique que de grouper les diverses séries d'objets, statuettes, diptyques, tabernacles, plaquettes, miroirs, tablettes à écrire ou coffrets, examinant chacune à part[30] (...)

Le principal écueil de ce genre de classification est, on s'en doute, la division artificielle ainsi créée, qui donne à croire que chaque sous-groupe a pu être produit dans un atelier séparé, éliminant du coup toute perméabilité (et toute influence) d'un type à un autre. Or rien ne permet de croire qu'il ait pu en être ainsi, Kœchlin le reconnaît lui-même[31], et si la méthode adoptée demeure la plus prudente, elle n'en doit pas moins rester souple et conserver comme ultime objectif de caractériser les ateliers les plus représentatifs et leur évolution[32]. Ainsi, une Vierge à l'Enfant présente dans un diptyque pourrait très bien être apparentée stylistiquement à une crosse ou une statuette véhiculant la même iconographie, soulevant ainsi une présomption de provenance commune.

Cela nous ramène à nouveau au problème de la source et du modèle. Et dans ce cas-ci, la difficulté augmente encore du fait que les ivoiriers ne sont pas clairement séparés des autres types d'imagiers, qui pouvaient tailler et peindre une grande diversité de matériaux et dans divers formats[33]. Il devient donc extrêmement difficile de caractériser clairement la spécificité des productions de ces métiers où les modèles pouvaient passer sans contrôle particulier d'une pratique à une autre, où la mode a pu jouer un rôle dans la prépondérance d'un type donné[34] et où l'iconographie de base n'était, de surcroît, pas très diversifiée:

> Toute tentative pour regrouper en ateliers bien caractérisés les nombreux monuments de l'ivoirerie parisienne (...) se heurte à une difficulté fondamentale: leur iconographie est très stéréotypée et les schémas fixés dès le début du XIVe siècle furent inlassablement reproduits jusqu'au début du XVe siècle[35].

Au fond, bien davantage que de trouver des sources et des modèles, la difficulté est surtout de faire la démonstration de la spécificité de l'ivoirerie gothique. Est-elle «la menue monnaie (...) d'une des disciplines majeures» ou «l'expression dans une matière très particulière, du style ou des styles qui caractérisent une époque»[36]?

Copie? Pastiche?

En observant les quatre Vierges à l'Enfant illustrées ici, comment ne pas se poser la question du lien qui semble les rattacher? Si la Vierge du Musée de Joliette (fig. 4) date bien du XIXe siècle, ainsi que son analyse paraît le démontrer[37], son modèle a très bien pu être l'une des trois autres œuvres illustrées ou même les trois à la fois. Doit-on pour autant la considérer comme un pastiche ou une copie? N'est-elle pas un original néo-gothique ayant assimilé des sources connues, tout comme la Vierge de la Sainte-Chapelle (fig. 3) est peut-être tributaire des deux autres sculptures illustrées (fig. 1 et 2)[38]?

On a souvent parlé de faux pour ces œuvres «néo-gothiques» et le sujet est pour le moins délicat: «Il est d'usage de laisser dormir les objets d'authenticité douteuse dans un silence prudent et confortable[39].» La présence même de recherches fondamentales sur la question devient dans ce cas une arme à deux tranchants, en fournissant aux faussaires de nouvelles sources et de nouveaux modèles détaillés. Tel est, selon Émile Mâle, le risque d'une somme comme celle réalisée par Kœchlin sur les ivoires gothiques:

> Ce livre qui va faire l'éducation des archéologues fera aussi celle des faussaires. Désormais ce sera un jeu pour eux (...) de continuer l'œuvre de «l'atelier du diptyque de Soissons» (...) M. Koechlin lui-même ne pourra plus acheter un ivoire sans en savoir parfaitement l'histoire[40].

Cela dit, si l'on repense un instant à la Vierge de Joliette (fig. 4), le fait de savoir qu'elle a pu, au départ, être sculptée dans l'intention d'abuser un éventuel collectionneur en la présentant comme gothique lui enlève-t-il sa valeur artistique? L'objet est finement réalisé et sans doute déjà une antiquité; n'appartient-il pas aussi à l'histoire de l'art et n'en constitue-t-il pas un élément signifiant à part entière?

Déjà au Moyen Âge, les ivoires gothiques comptaient, selon Kœchlin, parmi les «articles de Paris[41]» et portaient aux confins de l'Europe la renommée des ivoiriers parisiens. Sans doute répandirent-ils aussi leur iconographie, contribuant à la remarquable unité de style qui caractérise cette époque[42]. Dès lors, où finit l'interprétation et où commence l'œuvre originale? Les modèles existent-ils réellement ou ne sont-ils, ainsi que je le mentionnais plus tôt, que des «êtres abstraits», des idées diffuses appartenant au fonds commun culturel d'un espace-temps donné? Pour reprendre Erwin Panofsky, ne peut-on soupçonner là l'action d'une «force formatrice d'habitudes[43]» dont ces modèles diffus tendraient à démontrer l'existence?

Cette question est également développée par Pierre du Colombier qui s'interroge sur les modèles des sculpteurs gothiques. L'artiste œuvre-t-il d'après des «images mentales (...) formées en lui sans doute à partir de ses observations mais qu'il n'a point sous les yeux au moment où il travaille[44]»? Mais alors, quelles sont les forces agissant pour former ces «images mentales»? Faut-il au départ qu'il y ait eu quelque chose dans les sens avant que d'être dans l'esprit de l'artiste? L'image mentale peut-elle suffire à tout expliquer? «Aux limites, la théorie de "l'image mentale" devient quelque chose de parfaitement inhumain et qui supposerait chez ces hommes [les sculpteurs gothiques] qui nous ont donné cent exemples de leur curiosité, un aveuglement systématique[45].»

Modèle et sérialité: vers une simultanéité des concepts?

Mon questionnement arrive ici à ses propres limites. Au début de ce texte, je m'étais demandé jusqu'où il y avait possibilité de tirer du sens de la dynamique «modèle-sérialité» et ses conséquences sur les œuvres produites en groupes. À travers l'observation de quelques démarches théoriques portant de près ou de loin sur cette problématique, on aura pu remarquer la relative fragilité des interprétations basées sur la recherche des sources et des modèles, en particulier quand, d'un groupe d'œuvres données, on s'efforce de remonter, à travers divers réseaux d'influences souvent ténus, à d'autres œuvres afin d'établir des champs de concordances.

En tout état de cause, il me semble dangereux d'enfermer les manifestations artistiques dans le circuit «modèle/interprétation de modèle» qui permet certes d'établir des points de repère dans l'évolution des formes artistiques, mais ne me paraît pas très utile lorsqu'il s'agit d'établir la spécificité des œuvres elles-mêmes. Je pense que les modèles, s'ils existent vraiment, ne se trouvent pas à l'extérieur des corpus, mais en eux-mêmes, se construisant en quelque sorte *sui generis*, à mesure que ces corpus se développent et se ramifient.

Peut-être paraîtra-t-il intéressant, pour conclure sur cette lancée, d'envisager une réinterprétation de cette dynamique liant les groupes aux modèles présumés, à la lumière des réflexions que Jean Baudrillard livrait, il y a près de vingt-cinq ans, sur «L'idéalité du modèle»:

> Il ne faut pas concevoir série et modèle comme deux termes d'une opposition systématique: le modèle serait comme une essence qui divisée et multipliée par le concept de masse, aboutirait à la série (...) Cette conception déductive de la série à partir du modèle voile la réalité vécue, dont le mouvement est juste l'inverse, celui d'une induction continuelle du modèle à partir de la série[46].

Il est vrai qu'on ne doit pas confondre sérialité et série. La relation décrite par Baudrillard appartient bien sûr à l'ère industrielle, dans la mesure où elle concerne surtout le consommateur et non le producteur, qui n'intéresse Baudrillard qu'accessoirement. Malgré tout, elle propose des pistes intéressantes pour qui veut réfléchir sur des corpus d'œuvres à caractère sériel, où le modèle ne serait peut-être, le plus souvent, qu'une «habitude mentale» au sens de Panofsky (voir plus haut), et dont les modes de propagation ne furent, toutes proportions gardées, probablement pas moins puissants chez les sculpteurs médiévaux que chez les consommateurs actuels. Seule, sans doute, la quantité d'individus rejoints simultanément aura changé.

Ainsi donc, pour reprendre Baudrillard, le modèle ne serait pas autre chose que «l'image générique, faite de l'assomption imaginaire de toutes les différences relatives[47]». De là à proposer une reconstruction des archétypes présidant à l'élaboration de groupes d'œuvres en de vastes corpus, il n'y aurait qu'un pas à franchir. L'on ne peut maintenant qu'appeler de nos vœux toute démarche en ce sens, démarche qui permettrait peut-être de reconstituer et de donner tout son sens à cette «langue homogène dans son principe mais riche en dialectes» à laquelle Focillon comparait, en 1938, la sculpture gothique[48]. Cette image, en son temps plutôt avant-gardiste, ne peut, à mon sens, qu'inciter l'historien d'art contemporain à relire sémiotiquement les diverses réalisations artistiques médiévales.

Notes

1 Baron, Françoise, «Sculptures», *Les fastes du Gothique, Le siècle de Charles V*, Paris, Grand Palais, oct. 1981-fév. 1982, Éd. de la Réunion des Musées Nationaux, 1981, p. 57.

2 *Ibid.*

3 Porter, John A., «La sculpture ancienne du Québec et la question de l'art populaire», *Questions d'art populaire*, Montréal, Cahiers du CÉLAT, n° 2, 1984, p. 76.

4 *Ibid.*, p. 50.

5 Ou de la *ressemblance*, pour reprendre le terme d'Henri Focillon: Focillon, Henri, *Le Moyen Âge gothique*, Paris, Livre de Poche, 1971, p. 203.

6 Porter, *loc. cit.*, p. 71.

7 *Ibid.*, p. 75.

8 Lerou, Paule et Roger, «L'iconographie de saint Fiacre et sa répartition étudiées à travers la statuaire», *XIIIe centenaire de saint Fiacre, Actes du congrès*, Meaux, 1970, p. 185-303.

9 La description de l'iconographie de saint Fiacre n'occupe qu'une dizaine de lignes dans le monumental répertoire de Louis Réau: Réau, Louis, *Iconographie de l'art chrétien*, Paris, P.U.F., 1958, tome III, prem. partie, p. 497.

10 Lerou, *loc. cit.*, p. 296.

11 *Ibid.*, p. 218.

12 Trudel, Jean, «Le mimétisme, un aspect de la sculpture ancienne au Québec», *Vie des Arts*, n° 55, 1969, p. 33.

13 *Ibid.*

14 «Sériels» et non pas «séries», car on observe, ainsi qu'on l'a dit, un corpus d'œuvres similaires *mais toutes différentes* par des détails souvent infimes, plutôt que des œuvres identiques. Aussi me paraît-il inapproprié de parler d'œuvres produites «en série».

15 Trudel, Jean, «La sculpture ancienne du Québec, manifestation d'art populaire?», *Vie des Arts*, n° 71, 1973, p. 34.

16 Lord, Danielle, *Les anges sculptés dans l'art au Québec*, Musée d'art de Joliette, oct.-déc. 1991, Éd. du Musée d'art de Joliette, 1991, p. 17-22.

17 François-Noël Levasseur (1703-1794) était fils de Noël et neveu de Pierre-Noël, tous deux sculpteurs réputés du début XVIIIe siècle québécois. La «dynastie Levasseur» compte à juste titre comme l'une des plus importantes familles de menuisiers et de sculpteurs québécois du Régime français. On leur doit, entre autres chefs-d'œuvre, le décor intérieur de la chapelle des Ursulines de Québec et le tabernacle du maître-autel de l'Hôpital général de Québec.
Trudel, Jean, *Un chef-d'œuvre de l'art ancien du Québec, la chapelle des Ursulines*, Québec, Presses de l'Université Laval, 1972, p. 25-31.

18 Trudel, Jean, «La sculpture ancienne du Québec, manifestation d'art populaire?», *loc. cit.*

19 Réau, *op. cit.*, tome I, p. 3.

20 Trudel, *loc. cit.*

21 Duval, Noël, «Les ateliers de "sculpture populaire" de l'Antiquité tardive en Afrique du Nord», *Artistes, artisans et production artistique au Moyen-Âge. vol. III, Fabrication et consommation de l'œuvre*, Paris, Picard, 1990, p. 206.

22 Lefrançois-Pillion, Louise, «Les statues de la Vierge à l'Enfant dans la sculpture française du XIVe siècle», *Gazette des Beaux-Arts*, XIV, 1935, p. 129-149 et 204-227.

23 *Ibid.*, p. 149.

24 Ce qui n'exclut pas que, dans les ateliers d'imagiers médiévaux, ces modèles n'aient jamais existé. Françoise Baron parle de ponctifs, Alain Erlande-Brandenburg, de maquettes avec report par mise aux points et Pierre Du Colombier, de statuettes pouvant servir de modèle. Toutes ces techniques permettraient entre autres d'expliquer le prodigieux foisonnement de la sculpture monumentale au Moyen Âge gothique.
Baron, *loc. cit.*
Du Colombier, Pierre, *Les chantiers des cathédrales*, Paris, Éd. A. et J. Picard, 1973, p. 126.
Erlande-Brandenburg, Alain, «Observations sur les techniques de la sculpture», *Artistes, artisans et production artistique au Moyen-Âge, vol. III, Fabrication et consommation de l'œuvre*, Paris, Picard, 1990, p. 265-267.

25 Lefrançois-Pillion, *loc. cit.*, p. 136.

26 Il faut souligner ici que le portrait-type ainsi élaboré est décrit par l'auteur sur près de trois pages alors que les Lerou, avec leurs 522 sculptures de saint Fiacre, longuement analysées et décortiquées à travers mille graphiques, tableaux, cartes, etc., ne décrivent leur prototype qu'en cinquante-sept mots! Le portrait-type semble donc devenir de plus en plus précis (et restreint) à mesure que le corpus de référence s'accroît, ce qui ne peut qu'inciter à la prudence lorsque les sources sont aussi peu nombreuses.

27 Propp, Vladimir, *Morphologie du conte*, Paris, Seuil, Points, 1970.

28 Lefrançois-Pillion, *loc. cit.*, p. 132.

29 Kœchlin, Raymond, *Les ivoires gothiques français*, Paris, Auguste Picard, 1924, p. 7.

30 Kœchlin, *op.cit.*, p. 35.

31 *Ibid.*

32 Gaborit-Chopin, *op.cit.*, p. 132.

33 Kœchlin, *op. cit.*, p. 8 et Gaborit-Chopin, *op. cit.*, p. 16.

34 Kœchlin, *op. cit.*, p. 36.

35 Gaborit-Chopin, *op. cit.*, p. 156.

36 *Ibid.*, p. 16.

37 Paradis, Michel, *Présence des ivoires religieux dans les collections québécoises*, Musée d'art de Joliette, juin-sept. 1990, Éd. du Musée d'art de Joliette, 1990, p. 34.

38 Gaborit-Chopin, Danielle, «La Vierge à l'Enfant d'ivoire de la Sainte-

Chapelle», *Bulletin Monumental*, 130-III, p. 222, note (2).

39 Gaborit-Chopin, Danielle, «Les ivoires gothiques. À propos d'un article récent», *Bulletin Monumental*, 128-II, p. 127.

40 Mâle, Émile, *Art et artistes du Moyen Âge*, Paris, A. Colin, 1927, p. 311.

41 Kœchlin, *op.cit.*, p. 7.

42 Focillon, *op. cit.*, p. 202.

43 Panofsky, Erwin, *Architecture gothique et pensée scolastique*, Paris, Éd. de Minuit, 1981, p. 83-87.

44 Du Colombier, *op. cit.*, p. 122.

45 *Ibid.*, p. 126.

46 Baudrillard, Jean, *Le système des objets*, Paris, Gallimard, 1968, p. 200-201. On trouvera également un éclairage intéressant sur la question de l'authenticité de l'œuvre d'art au regard de la dynamique modèle-copie à l'époque préindustrielle dans: Baudrillard, Jean, «Le gestuel et la signature», *Pour une critique de l'économie politique du signe*, Paris, Gallimard, 1972, p. 114-126.

47 Baudrillard, *Le système des objets*, *op. cit.*, p. 201-202.

48 Focillon, *op. cit.*

Fig. 1: *La «Vierge Dorée»*, pierre, vers 1230-40 ou 1280, Amiens, cathédrale Notre-Dame.

Fig. 2: *Vierge à l'Enfant*, pierre, vers 1250, Paris, cathédrale Notre-Dame.

Fig. 3: *Vierge à l'Enfant «de la Sainte-Chapelle»*, ivoire, vers 1250-60, 41 cm de haut, Paris, Musée du Louvre.

Fig. 4: *Vierge de Tendresse*, ivoire, traces de dorure, vers XIXe siècle, 32 cm de haut, Musée d'art de Joliette. (Photo: Éric Parent)

Sémiologie psychanalytique et esthétique

FERNANDE SAINT-MARTIN

L'on est certes témoin, en cette fin de siècle, d'une période de désarroi des théories esthétiques qui fait écho aux difficultés qu'elles connurent au début du siècle[1]. À l'époque, la philosophie — et l'esthétique qui en était dépendante — furent rudement ébranlées par une crise épistémologique dont on sent encore les effets aujourd'hui.

Cette crise résultait, entre autres, de l'émergence de nouvelles théories physiques telle la relativité einsteinnienne, de nouvelles sciences humaines comme la linguistique, ou parmi les théories psychologiques, de la révélation de l'inconscient dont la psychanalyse se proposait de décrire les structures énergétiques.

Non seulement le contenu spécifique de ces nouvelles connaissances sur l'être humain et le monde transformait l'image du réel, mais il remettait en question les méthodes elles-mêmes d'acquisition de la connaissance. En particulier, se sont fait jour de nouvelles exigences critiques vis-à-vis des types de modèles symboliques ou linguistiques aptes à rendre compte de la multiplicité du réel. Comme l'on sait, la langue naturelle qui avait été, pendant des millénaires, l'instrument privilégié de la réflexion philosophique, et de façon corollaire de l'esthétique, devint la cible d'un procès qui n'est guère achevé.

De fait, l'utilisation accrue des langages mathématiques dans les diverses sciences, permettant une analyse plus fine des phénomènes, donna soudain droit de cité, dans la connaissance, au multiple, à l'hétérogène et à la complexité auparavant exclus de la science. Elle rendait sa légitimité au souci de connaître ces objets ou événements dans le réel que la réflexion philosophique récusait préalablement comme «inconnaissables», parce que le langage verbal ne possédait pas les moyens d'en décrire les paramètres et cheminements. Paradoxalement, le soupçon entretenu par la philosophie analytique sur l'ambiguïté inhérente au langage verbal a éclairé d'un jour nouveau la nature et les potentialités représentatives des autres types de langages, notamment des langages non verbaux.

Parallèlement, au moment où les notions de sujet et d'objet, d'espace et de temps, de raison, de logique et de vérité étaient remises en question dans le domaine philosophique et scientifique, l'on assistait à une transformation radicale de la pratique artistique. À partir du Cubisme se sont multipliés des modes de représentation visuelle dont l'esthétique classique ne pouvait rendre compte pour leur description, leur évaluation ou leur interprétation.

Une tradition esthétique pouvait à leur égard maintenir la prétention que les contenus ou les effets de l'art doivent justement être postulés comme «inconnaissables», «ineffables» ou «indicibles». Mais l'on pouvait rétorquer que ces limites à la connaissance pouvaient dépendre de l'inadéquation des systèmes conceptuels avec lesquels on tentait jusque-là de comprendre l'expérience humaine. L'avènement de la psychanalyse proposa justement un éclairage de ces effets de l'art comme étroitement liés aux phénomènes de l'inconscient, dont elle offrait une première cartographie.

Ainsi l'esthétique et la psychanalyse pouvaient avoir partie liée dans l'élaboration de nouvelles théories de l'interprétation des œuvres d'art, pour autant que chacune traite des relations entre une expérience d'abord pré-conceptuelle et les divers processus de symbolisation. Mais ce sont aussi deux disciplines que l'on s'évertue à reléguer hors des champs de la pensée claire, sous prétexte qu'elles renvoient à des expériences complexes de l'existence humaine. Pourtant, comme l'exprimait un sémanticien: «Nous ne pouvons pas indéfiniment abandonner le sens si concret et constant de "l'expérience" à un vague *no-man's land*[2].»

Mais en dépit de l'influence manifeste de la psychanalyse sur la pensée et la science contemporaines, la jonction théorique n'est pas encore faite entre ces divers domaines. Les emprunts effectués par les sciences humaines à la psychanalyse sont à proprement parler innombrables, mais le plus souvent faits à la pièce, subrepticement, quand «cela fait l'affaire», et sans qu'on reconnaisse ouvertement les sources, les ramifications et les retombées de l'épistémologie freudienne.

Sans entreprendre ici cette démonstration, l'on peut en évoquer les traces dans les domaines les plus divers, depuis l'analyse de la pensée scientifique par Bachelard, l'anthropologie structurale de Lévi-Strauss, la linguistique de Jakobson, la pragmatique de Searle ou la théorie de la «différance» chez Derrida. La psychanalyse s'est révélée, non plus un discours restreint sur la sexualité ou la névrose, mais bien une discipline intellectuelle qui remet en question les bases mêmes des concepts majeurs de notre représentation du monde et de l'être humain.

Plusieurs signes avant-coureurs chez les philosophes ou penseurs ont préparé et même annoncé la «révolution psychanalytique» par des intuitions plus ou moins élaborées sur la fonction de l'art. Ainsi de l'esthétique de Schelling, avec sa notion de synthèse entre conscient et inconscient, ou encore les liens que Schopenhauer établissait entre la «volonté» et la représentation. Mais il faut surtout penser à Nietzsche dont les réflexions sur l'épistémologie, la morale et l'esthétique avaient mis au jour, mais sans les nouer dans un système global, les paramètres fondamentaux d'une nouvelle culture.

Dorénavant on ne saurait plus traiter d'art et d'esthétique sans y faire intervenir les croyances ou connaissances générales qui ont cours à une époque donnée de l'histoire. Le rappel ou la mise en synthèse de ces connaissances influencent le sens des œuvres puisque, dans le passé autant qu'aujourd'hui, comme le soulignait Nietzsche dans *Humain, trop humain*:

> Ce que nous appelons actuellement le monde est le résultat d'une foule d'erreurs et de fantasmes qui ont pris progressivement naissance au cours de l'évolution globale des êtres organisés[3].

Ces erreurs, ces aveuglements, ces mensonges qui sont maintenant insoutenables, dira-t-il, ce sont nos conceptions de Dieu, du «moi», de la raison, de la vertu, de la vérité, de la justice, de l'amour du prochain. Et même une science «nouvelle», déplorait Nietzsche, ne pouvait libérer de ces erreurs que dans une mesure restreinte, «pour autant qu'elle est incapable de briser pour l'essentiel la puissance d'habitudes archaïques de la sensibilité»[4].

Un bilan semblable, peut-être un peu plus optimiste, sera édifié par la psychanalyse, non par une réflexion uniquement philosophique comme chez Nietzsche, mais par l'observation expérimentale des comportements humains. L'évolution de nos sociétés cependant, avec leurs conflits internes et externes constants — notamment la guerre de 1914 —, rendit Freud éventuellement plus sceptique sur la possibilité pour l'être humain de surmonter ses «habitudes archaïques de sensibilité». Au point où il postula l'existence d'une «pulsion de mort» à côté de la pulsion de vie.

Il n'en reste pas moins que les travaux de Freud, ainsi que les développements que leur apporta l'école anglaise de Mélanie Klein, convergent dans la construction d'une théorie que l'on peut appeler «forte», puisqu'elle interrelie des phénomènes observables dans une dialectique causale qui interpelle de mille façons la pensée traditionnelle.

D'une primauté de la vérité

En révélant l'existence de couches profondes de la personnalité avec lesquelles l'art établissait un contact, Freud décrivait un inconscient exprimable symboliquement en termes d'informel, de chaos et de conflits. Les premiers créateurs artistiques qui marquèrent ce siècle — Kandinsky, Malevitch, Mondrian, plus tard le surréalisme ou Pollock — ont tous avoué l'influence dévastatrice sur l'art des hypothèses de l'inconscient. Ils voulurent davantage construire un art «vrai» qui permette de mieux connaître la réalité humaine qu'un art «beau», selon des critères maintenant suspects au plan épistémologique ou cognitif.

Dans le domaine esthétique, l'on sait qu'au Québec même, l'accès à la modernité dans les années 40, à travers l'Automatisme et le *Refus global* de Borduas, s'identifiera à cette «voie royale» de l'écoute de l'inconscient. En outre, insistait Borduas, il ne s'agissait pas là d'une «révolution culturelle» qui pouvait être confinée dans la «bourgade plastique», c'est-à-dire dans le seul secteur des arts. Il s'agissait d'une transformation totale des modes de pensée et de sentir des individus et des collectivités. L'art était doté d'une fonction de connaissance qui le mettait en concurrence, si l'on peut dire, avec la démarche scientifique et la philosophie.

Dès l'abord, Freud valorisa l'œuvre d'art pour ses intuitions sur l'être et le sujet humain. Il souligna qu'elle permettait aux artistes et aux spectateurs de circonvenir les effets des censures, afin de parvenir à une certaine «satisfaction du désir» inconscient, mais sous le coup de deux contraintes. D'abord, la réalisation symbolique de cette expérience ne pouvait être effectuée qu'à travers des masquages et compromis qui rendaient difficile la «compréhension», en surface, du message. De plus, ce n'était qu'à partir de la perfection formelle de l'œuvre — donc par un effet esthétique — procurant une «prime de plaisir» que se dissolvait la résistance aux expériences affectives les plus profondes.

Bien qu'il s'avouât incompétent à analyser les composantes de cette beauté formelle, Freud maintenait tacitement les critères de l'esthétique classique, en termes de proportion et de symétrie, d'équilibre et d'harmonie. Bientôt, cette esthétique définissant l'art comme reflet d'un monde équilibré, issu d'un créateur divin au sein duquel le Vrai, le Beau et le Bien s'unifient, perdit son fondement ultime à travers la secousse de ce que Nietzsche a appelé «la mort de Dieu».

Une première conséquence en fut le rejet des multiples dualismes qui ont caractérisé la culture occidentale, tels corps-esprit, matière-pensée, passion-raison, conçus comme des séries d'entités parallèles et indépendantes. Ces schémas, correspondant à des clivages affectifs et cognitifs, selon la terminologie freudienne, avaient permis à l'être humain de se détourner de sa contingence charnelle et émotive, pour se réconforter de la «noblesse» d'une dimension spirituelle, vouée à la contemplation du Vrai et du Beau.

Une deuxième conséquence fut de reconnaître non seulement que l'esprit humain a une histoire, comme le répétera avec insistance Bachelard, mais que l'individu humain aussi en a une. Alors que la philosophie classique semble présumer que le sujet humain émerge soudain, tout armé de la plénitude de ses facultés rationnelles, comme Athéna de la cuisse de Jupiter, la psychanalyse fait état d'un processus de développement de la pensée, depuis les premières heures de la vie, et qui agit sur les stades ultérieurs.

Non seulement, dira Freud, «l'esprit» est une émergence de la matière vivante — laquelle n'est qu'une modulation de l'énergie — mais son fonctionnement est indissolublement lié à cette matière vivante. On ne peut isoler le «sujet humain» dans une zone dite supérieure, dotée de raison, et y voir sa véritable nature ou essence. Ce qu'on appelle le sujet, le je ou le moi, émerge d'un organisme global soumis à des tensions, des conflits, des dynamismes complexes qui se répercutent sur le physique comme sur le psychique.

Non seulement la pensée ou la conceptualisation sont-elles définies comme la production d'un moi divisé entre des pulsions contradictoires, mais le scandale propre de la psychanalyse est de soutenir que, de fait, la pensée conceptuelle ne se construit qu'en vue de servir les pulsions biologiques. Dans les termes de Wilfred R.

Bion: «La pensée est l'esclave de l'émotion, et c'est pour rationaliser l'expérience émotionnelle qu'elle existe[5].»

L'activité philosophique n'y fait pas exception. Et l'on a pu voir, au cours des années, un certain nombre d'études mettre à jour, non seulement des structures paranoïdes, mais même des éléments délirants, dans la philosophie de Berkeley[6], de Hegel[7], de saint Thomas d'Aquin[8] et de beaucoup d'autres. Le champ à explorer est ici très vaste, mettant en jeu des processus d'idéalisation, de névrose obsessionnelle ou de schizoïdie.

Loin de ne tendre qu'à la contemplation du Vrai et du Beau, comme le voulaient les philosophes, le sujet humain est avant tout assujetti, selon Freud, au principe de plaisir. Déjà, Nietzsche avait écrit que l'homme ne fait tout ce qu'il fait que poussé «par l'instinct de conservation ou, plus exactement, par la tendance de l'individu à rechercher le plaisir et à éviter le déplaisir[9]».

Freud complète ce constat en disant que l'être humain n'élabore même un principe de réalité — que l'on pourrait assimiler au principe de raison — qu'en vue de rendre possible la satisfaction éventuelle du principe de plaisir. Le plaisir n'est plus défini comme une simple qualité affective, accompagnant ou résultant de certains états ou actions. Il est le principe régulateur de toute action, de toute réaction, de toute pensée humaine.

Plaisir et esthétique

Le lien du principe de plaisir avec l'expérience esthétique semble manifeste, pour autant que le Beau a été défini traditionnellement en termes de bonheur, de plaisir ou de gratification. Wittgenstein cautionne ce consensus dans ses *Carnets*:

> Il y a en effet quelque chose dans la conception selon laquelle le beau serait le but de l'art. Et le beau *est* justement ce qui rend heureux[10].

Le constat est ambigu, car le philosophe ne s'attarde pas au fait que la réciproque est loin d'être vraie. Si une grande variété de choses semblent rendre les gens heureux, elles ne sont pour autant ni belles ni œuvres d'art. Qu'est-ce donc que l'art, le beau qui lui est lié et quel bonheur leur est propre?

Par ailleurs, si le beau est le but de l'art et qu'il rend heureux, on comprend l'extension que prendra le concept d'esthétique, non seulement chez Nietzsche qui y reconnaissait en effet le niveau le plus véridique et important de l'expérience humaine, mais aussi bien chez un pragmatique comme Peirce qui situait l'esthétique au sommet de sa propre philosophie.

On pressent aussi pourquoi l'on souhaitera — chez Dada et certains courants postmodernistes qui le prolongent — que cette expérience esthétique soit largement généralisée, au point de se loger dans toutes les activités de la vie courante. Pour paraphraser la déclaration de Lautréamont sur la poésie, l'art — et le bonheur qu'il engendre — doit être le lot de chacun, et pourquoi pas, dans le moindre de ses gestes ou productions. L'art de masse refléterait, selon l'expression de Benjamin, «l'espérance profane d'un bonheur à l'échelle collective[11]». Mais le bonheur n'est pas chose simple, pour peu qu'on s'interroge sur la nature et la fonction des processus psychiques dans l'organisme vivant, comme le fait la psychanalyse.

Fonctions de la vie psychique

De par sa structure biologique, dira d'abord Freud, l'être humain hérite de deux instincts: l'instinct de conservation et l'instinct libidinal (l'Éros). Partagés avec le règne animal, ces instincts sont des forces, des quotas d'énergie vitale que l'on peut se représenter comme des quantités topologiques, susceptibles de s'amplifier et de se rétracter:

> L'instinct est généralement conçu comme une sorte *d'élasticité du vivant*, comme une poussée[12] (...)

Ce tonus énergétique qui parcourt le vivant — aussi bien de nature électrique que physico-chimique — pourrait être représenté par une courbe cyclique comme celle qui illustre parfois des circuits électriques. Un «niveau tonique» moyen — qui caractérise le fait d'être vivant — s'élève ou s'abaisse, selon les stimuli internes/externes et la satisfaction ou non-satisfaction des besoins vitaux (nourriture, sommeil, etc.).

Cette vie physiologique, dira Freud, donne naissance à une vie psychique dès le moment où, à certaines de ces «poussées instinctuelles» sont liées des «représentations» issues des relations perceptuelles de l'organisme avec le monde ambiant. Ces images mentales internes «reproduisent» les perceptions sensorielles qui ont accompagné l'expérience de la demande ou de la satisfaction des instincts et qui restent associées dans la mémoire à ces expériences vitales. Ces représentations jouent pour la psyché le rôle que la sémiologie assigne à des «signifiants», c'est-à-dire des agrégats de stimuli sensoriels qui renvoient à des expériences significatives, transcendant ainsi leur stricte matérialité. Même si elle n'est pas encore insérée dans des médiums linguistiques externes, la fonction symbolique commence à s'exercer et à se développer.

La liaison d'une représentation mentale — de chose ou de mot — à une poussée de l'énergie vitale et de l'instinct donne naissance à une «pulsion», c'est-à-dire à une instance intermédiaire entre le physique et le psychique, où la psychanalyse situe le lieu de naissance même de l'activité psychique.

Cependant, tout comme l'organisme physiologique doit transformer les aliments qu'il ingère pour en retirer des éléments nutritifs — dans ce qu'on appelle le métabolisme —, les éléments de la réalité physique perçus par les sens doivent être «métabolisés» pour servir à l'intérieur du système nerveux. La matière externe et inanimée, aussi bien que les produits bruts de la sensation, doivent être «psychisés» pour être transformés en «représentations mentales» pouvant servir la pensée. Ils le seront par la production de percepts sensoriels, participant à la fois de l'organisme et du monde et premiers porteurs de la signification.

Selon Freud, l'organisme dispose de deux registres de représentation: la représentation de mot et la représentation de chose. Nous supposerons que la première est connue, même si l'on oublie parfois que le mot n'existe qu'à partir d'un percept sensoriel sonore et qu'il est soumis à la structure temporelle et discontinue du son.

Quant à la représentation de chose, elle se construit à même la multiplicité des prélèvements sensoriels effectués par la vue, l'ouïe, l'odorat, le kinesthésique, et l'infinie variété du toucher. Le sens protéiforme du tact s'exerce à travers la position du corps (posturale et kinesthésique) et reconnaît le chaud du froid, le mouillé et le sec, le pénétrable et le dur, le rugueux et le lisse, le pointu et le massif, le lourd et le léger, le mobile et l'immobile, la limite et le continu, etc. Toutes les sensations/perceptions de l'organisme, produites sur un plan non verbal, amassent les matériaux qui forment les représentants de chose et, par suite, les langages non verbaux: pictural, sculptural, musical, gestuel, etc.

Il paraît manifeste que les représentations de chose seront les plus importantes au cours des premières années de vie pour structurer l'expérience humaine, précédant de loin et excédant les représentations de mot. Mais leur fonction primordiale, et la nature de leur système de représentation ou d'expression, n'ont pas été vraiment reconnues avant l'émergence de la sémiologie et de la psychanalyse.

Retenons d'abord que toute expérience sensorielle ou perceptuelle crée simultanément deux instances. Elle révèle un aspect du monde externe certes (une couleur, un son, une température, etc.), mais en même temps elle révèle l'existence en nous d'un organe sensoriel apte à constituer cet aspect du monde. Elle nous apprend la liaison permanente de notre corporéité au monde qu'elle construit. C'est lorsque la lumière pénètre notre œil que nous savons que celui-ci existe comme organe de vision, lorsque la nourriture emplit la cavité buccale que la bouche devient organe ingurgitateur, etc. C'est-à-dire que chaque fois qu'un aspect sensoriel du monde est produit, il fait exister simultanément cette zone du corps qui, en l'éprouvant, se révèle au sujet.

La psychanalyste Piera Aulagnier a longuement décrit cet «auto-engendrement» simultané du corps et du monde: «Au moment où la bouche rencontre le sein, elle rencontre et avale une première gorgée du monde[13].» Cette expérience locale qui se répercute sur tout le corps explique qu'une évaluation affective concomitante accompagne tout percept. Ainsi l'apport alimentaire à l'enfant se double d'un apport cognitif et représentatif qui ne fait sens que par son lien affectif à l'organisme.

D'autre part, les perceptions sensorielles qui servent à construire des représentations de chose ont une propriété singulière que ne possède pas une représentation de mot. Elles renvoient à des aspects du monde toujours ancrés dans des contextes, c'est-à-dire à des ensembles organisés constituant des *espaces*. Parce que concrets et basés sur des entités matérielles différentes qui activent des organes corporels spécifiques, ces espaces produits par le système nerveux humain diffèrent structurellement entre eux. Piaget[14] a décrit les particularités de ces divers espaces organiques: buccal, postural, sensori-moteur, thermique, visuel, sonore, etc. Ils seront représentés par des organisations différentes des éléments linguistiques fournis par les percepts sensoriels.

La psychanalyste P. Aulagnier a donné le nom de *représentation pictographique* à cette «première œuvre de la psyché». Elle appelle «pictogramme» le produit de ce processus originaire qui «est cœxtensif d'une expérience responsable de la mise en activité d'une ou de plusieurs fonctions du corps, résultant de l'excitation des surfaces corporelles correspondantes[15]». En d'autres mots, «l'exigence constante de la psyché» est que «rien ne peut apparaître en son champ qui n'ait pas été d'abord métabolisé en une représentation pictographique[16]».

Le pictogramme est ainsi une image sensorielle qui lie trois éléments de façon indissoluble: l'éprouvé non verbal du corps, un affect positif ou négatif à son égard et un représentant de chose, qui réfère à la fois au monde et au corps. En d'autres mots, le corps est «le fournisseur des modèles somatiques que lui emprunte la représentation[17]». Ces pictogrammes, qui forment le terrain originaire de la psyché et le nœud formateur d'un premier «je», continuent d'être élaborés par l'organisme la vie durant, en tant que «mise-en-forme d'un perçu» par un «Je» primaire en relation avec un affect et un cognitif. C'est donc à partir de l'activité corporelle que l'on peut comprendre comment fonctionne le système de représentation de chose, et non dans une éventuelle comparaison avec le fonctionnement de la représentation de mot.

D'autres phases d'élaboration de l'expérience s'ajouteront au pictogramme, notamment le «phantasme», différent en ce qu'il incorpore la présence d'un troisième pôle représenté par un regard extérieur à la scène. S'il contribue à une édification d'un second «je», le phantasme demeure toujours représentation de chose, distinct comme le pictogramme de toute représentation de mot.

En dernier lieu, l'éprouvé du corps mènera à l'élaboration d'une idée, «nommable» par la représentation de mot, enfin accessible. Il en résulte la production d'un «je» idéique qui restera toujours embarrassé de se définir par rapport à ce qui, pour lui, reste deux «inconnaissables» ou «indicibles», soit le pictogramme et le phantasme, avec lesquels il entre sans cesse en résonance[18].

Le problème originel de la vie psychique, véritablement catastrophique au sens de la théorie de René Thom, réside dans l'insertion relativement brutale chez l'enfant d'une représentation de mot dans l'univers préalablement élaboré par la seule représentation de chose et que les mots sont incapables d'exprimer. Comme l'a souligné Aulagnier, la nécessité de tenir compte des représentations de mot oblige le petit enfant à se confronter à des types d'objets conceptuels, «d'identifiés» selon son terme, qui sont non seulement abstraits mais liés à divers univers sémantiques dont il ignore tout[19]. Cet univers des mots qui lui est imposé de l'extérieur peut d'ailleurs être névrotique et mensonger, résultant d'un discours verbal adulte souvent manipulateur. Le petit enfant doit ainsi surimposer et faire prévaloir sur l'expérience constante, concrète et «véridique» des pictogrammes qu'il a lui-même construits l'univers abstrait des discours verbaux, issus de codes sémantiques qui lui resteront partiellement étrangers jusqu'au terme idéal d'une hypothétique éducation adéquate.

Cette scission profonde au sein de l'organisme humain ne pourra être surmontée que par une éventuelle valorisation sociale et une meilleure compréhension des représentations de chose, essentiellement non verbales, qui se déploient principalement à travers les productions artistiques. C'est le but que se propose l'analyse sémiologique du «langage visuel», lequel est, par excellence, le lieu privilégié d'organisation d'éléments perceptuels issus des divers espaces sensoriels. Cette conscience nouvelle des relations du «corps psychique» avec les structures du réel servirait à éclairer ce qu'on appelle l'expérience esthétique.

Mais en plus de la difficulté constante de rendre compte sur le plan verbal de ce qui est incontestablement éprouvé sur un plan non verbal, il faut compter avec le défi de pouvoir intégrer dans l'analyse du discours verbal ou visuel les voies tortueuses du principe du plaisir qui a été le principe régulateur de l'émergence de ces doubles représentations.

Le destin de la représentation symbolique

Comme on le sait, c'est le refus de l'organisme de tolérer la présence d'une représentation liée à un affect désagréable qui transforme les représentations de chose et de mot qui seraient accessibles à l'activité psychique en représentations inconscientes, donc peu utilisables. Ces affects désagréables sont liés à des traumatismes, à des frustrations et lésions narcissiques enfantines, qui perdurent à l'âge adulte sous forme d'interdits, de peur de représailles, etc., sous le coup de deux instances appelées le Sur-moi et l'Idéal du Moi.

Il importe de rappeler que ce n'est pas la pulsion en tant que poussée énergétique qui devient inconsciente, mais bien les représentations de chose et de mot qui lui sont liées au moment d'expériences affectives désagréables. Sans représentations, la tension biologique reste ignorante des spécificités externes qui l'apaiseraient. D'où la formule-clé qui parle de «l'obscur objet du désir».

En d'autres mots, la pulsion qui représente une structuration particulière de l'énergie instinctuelle visant le monde externe à travers un «pictogramme» n'est pas refoulée comme tension. Elle continue à chaque moment à faire sentir sa «poussée» et à chercher des représentations qui permettent la gratification. À l'opposé, le Moi élabore une grande diversité de mécanismes de défense pour maintenir caché le «signifiant» de cet objet de désir — dont le rappel provoquerait une souffrance — tout en s'efforçant, en dépit des interdits, de procurer malgré tout satisfaction à l'organisme.

Le destin de la pulsion est donc d'appeler, de requérir, de chercher à expérimenter des représentations diverses, plus ou moins approchantes de la représentation primitive qui a été refoulée, afin d'obtenir satisfaction. Ces représentations ne permettront qu'une satisfaction indirecte, partielle et toujours inconsciente, à partir de leur analogie avec le «représentant» ou le «signifiant» de l'objet du désir qui a été refoulé, lequel est le plus souvent non verbal.

On sait que c'est l'activité, par excellence, du rêve que cette recherche éperdue de «signifiants» à travers lesquels, inconsciemment, le désir puisse être satisfait. On sait moins que cette recherche est aussi le stimulant incessant qui mène à la production des processus secondaires, comme les appelle Freud, c'est-à-dire ces processus de symbolisation qui construisent les œuvres de culture: langages, arts, sciences, religions, techniques, etc. Apparemment soumis à des impératifs sociaux et culturels, ces processus de pensée et de symbolisation sont surtout structurés par l'individu en vue de reproduire une situation qui restaure, de quelque façon, les conditions propices à la satisfaction pulsionnelle.

De façon générale, la psychanalyse propose que les plus grands créateurs seront nécessairement les individus aptes à supporter plus longuement l'affect désagréable lié à un signifiant quelconque, qu'il s'agisse de peurs, de souffrances ou de frustrations. Car sans «signifiants», ou représentants de chose ou de mot, aucun discours symbolique ne peut se constituer. Ainsi au lieu de bloquer rapidement le déroulement des processus symboliques, les créateurs maintiennent la diffusion énergétique dans les neurones corticaux, même si celle-ci est susceptible de «réactiver» dans la mémoire, au passage, la trace de représentations dotées d'affects désagréables. Même inconscientes, en effet, les représentations refoulées font résonner les affects désagréables qui leur sont liés.

Pour plusieurs, la pression du principe de plaisir contribue à limiter les fonctions psychiques, c'est-à-dire symboliques, à l'essentiel de la survie. Chacun se tiendra particulièrement éloigné des formes symboliques de l'art, de la science et de la pensée, toujours susceptibles d'éveiller, par une quelconque analogie entre «signifiants», la souffrance ancienne.

L'on comprend aussi que la tentative avouée de rejoindre, de dégager, de laisser affleurer à travers l'activité artistique, les représentations logées dans l'inconscient, mènera à des conceptions esthétiques différentes de celles qui ont été véhiculées par la philosophie classique.

Pour une disciple de Mélanie Klein, Hanna Segal, la différence entre une œuvre d'art qui est médiocre et l'autre qui est valable tient à ce que le contenu de l'œuvre authentique renvoie aux couches affectives pénibles, qui ont été refoulées par divers interdits, plutôt qu'aux défenses de surface agissant contre leur mise à jour. Ces zones profondes parlent de tension, de haine, de destruction, de désespoir, de sadisme, de violence persécutrice[20], mais sous le couvert d'une «perfection formelle» qui garantit la victoire d'Éros sur Thanatos. Pensons à Shakespeare, Dostoïevski, Balzac, ou à Rembrandt, Goya, Delacroix ou Van Gogh.

Cette conception du contenu d'une œuvre d'art authentique rejoint la définition de la Beauté que donnait le poète Rainer Maria Rilke:

> La beauté n'est que le début d'une terreur que nous commençons à peine à pouvoir supporter[21].

En représentant ces tensions internes, la fonction de l'artiste serait de permettre au spectateur une liaison avec des zones conflictuelles de l'être, soulignant leur quotient fantasmatique et non objectal, tout en offrant un modèle pour leur intégration. À la façon de Freud, Segal propose que la beauté formelle, toujours essentielle, au lieu d'être une simple prime de plaisir autorisant les transgressions, offrirait les amorces d'une positivité, d'une plénitude, d'un bonheur, qui donnent le courage nécessaire pour surmonter, ou pour renoncer aux instincts d'agressivité et de mort.

Mais la psychanalyse classique définit encore des critères de «beauté esthétique» liés au littéraire (unité de lieu, de temps, de personnages), qui sont peut-être moins pertinents aujourd'hui et encore moins dans une œuvre visuelle. Pourtant, en s'appuyant sur la structure générale du monde des affects révélée par Freud, Mélanie Klein avait déjà tenté de rendre compte plus concrètement de cet «émoi affectif» que constitue l'expérience esthétique, réflexion qui fut poursuivie par ses disciples W. R. Bion et D. Meltzer[22].

Une théorie des affects

Résumons brièvement la théorie des affects en psychanalyse. Nous avons rappelé que le phénomène de la vie se représentait chez Freud comme un courant, un quota d'énergie, parcourant aussi bien le physiologique que le cérébral, et susceptible de s'amplifier ou de s'anémier, selon les circonstances. Les stimuli internes provenant de l'intérieur de l'organisme autant que les stimuli externes apportés par le monde ambiant (des tableaux, des sculptures, des installations, etc.) sont aptes à augmenter la tension de ce courant d'énergie, agréable seulement si elle est légère.

Cependant l'organisme reste soumis à un seuil de tension qui fait qu'une trop grande surexcitation énergétique de ses appareils internes est perçue comme désagréable, quelles que soient par ailleurs les caractéristiques qualitatives de ces stimulations. La joie peut tuer, comme la douleur. Pour ramener le seuil d'excitation à un niveau tolérable, l'organisme dispose de deux instruments: l'activité motrice proprement organique (les gestes, les coups, les mots, les cris) ou une possibilité de diffuser dans les régions corticales la surexcitation survenue dans un lieu quelconque du système nerveux, créant par là une activité de type psychique.

D'une part, cette énergie de tension a besoin de «représentations» pour accéder au niveau psychique. Une fois pourvus de représentants, ces surplus d'énergie circulent et se diffusent dans le réseau psychique, activant par association des représentations déjà mémorisées. Ils risquent toujours ainsi de réactiver des représentations, même inconscientes, liées à des affects désagréables. Le sujet a alors tendance à cesser de «penser» ou de fabriquer des représentations symboliques nouvelles, aux liens toujours imprévisibles avec des affects désagréables.

L'assimilation corticale des stimuli internes/externes trop intenses — susceptibles même par leur quantité de provoquer des affects désagréables — est favorisée par l'aptitude du sujet à lier des stimuli nouveaux, fortement contrastés ou chaotiques, dans un «regroupement» qui lui est plus familier, soit des structures de représentation déjà connues. C'est ce que confirme la psychologie de la Gestalt, qui a fait état, sous le nom de «pression de la bonne forme», de ce travail effectué par la perception face à l'hétérogénéité des stimuli externes pour les réduire à des formes fondamentales ou familières[23].

Si la théorie cognitive proposée par la psychologie de la Gestalt prolonge la loi de l'homéostasie proposée par Freud dans ses *Études sur l'hystérie*, des psychologues ont nommément lié les réactions esthétiques aux lois de cette pression de la «bonne forme»[24]. Mécanismes fondamentaux de la baisse quantitative des tensions cognitives, les pressions gestaltiennes qui ramènent au déjà connu ou au «banal» — comme le rappelait le psychanalyste Sami-Ali, dans une étude sur le Pop Art et certaines formes de production postmodernistes[25] — contribuent cependant à un arrêt du déroulement de la vie psychique et à une sorte de fuite dans un pseudo-réel, pré-défini par des codes superficiels.

Plus important, les seuls dynamismes quantitatifs ne suffisent pas à rendre compte des spécificités qualitatives des affects liés à la réaction esthétique, c'est-à-dire de l'aspect agréable ou désagréable que peuvent présenter, en tant que telles, les formes générales des organisations qui regroupent les stimuli. Une esthétique fondée sur la psychanalyse substituerait aux critères traditionnels un principe d'organisation plus dynamique, tendant à refléter les possibilités de développement d'une vie psychique qui se connaît comme à la fois forte et fragile. On pourrait l'appeler *l'esthétique des liens*, soit une promesse de bonheur résultant de la pleine acceptation des liaisons internes/externes qui constituent l'être. Cette esthétique qui fait échec aux pulsions agressives de désespérance et de mort s'ancre dans l'expérience affective de la relation de «contenance».

Le code analogique en effet, qui régit les processus affectifs primaires agréables — et qui se répercute sur toutes les formes de représentation —, est celui de la «contenance», c'est-à-dire de «la relation dynamique contenant-contenu». Non seulement parle-t-on ici de buts affectifs particuliers, mais de la source même du processus symbolique. Dans les termes de Mélanie Klein:

> Les déplacements effectués en cours de recherche de relations objectales contenantes constituent, psychiquement parlant, le processus de la symbolisation[26].

Ou encore comme l'exprime Bion: «Du point de vue dénotatif, ce qui intéresse fondamentalement le Moi, c'est de pouvoir arriver à une relation contenante, quelle qu'elle soit, et éviter les relations objectives d'un autre type[27].» Soit la disjonction, l'exclusion, la discontinuité, qui annulerait la réalité de l'expérience fantasmatique de la «contenance». Un affect positif est ainsi toujours corrélatif d'une fusion/intégration du Moi avec ses objets de désir. À des niveaux nombreux, souvent partiels, tout y pourvoit: la carte de membre d'un club de tennis, le statut d'étudiant ou de professeur, l'appartenance à une nation, la chaleur de l'appartement ou l'adhésion à une idéologie...

Cette contenance est, pour la psychanalyse, d'ordre dialectique en ce qu'elle concerne aussi bien la capacité du Moi à se faire contenir par une structure enveloppante que son aptitude à servir de contenant pour d'autres. L'un ne peut aller sans l'autre et, sans doute, la capacité à contenir l'autre indiquerait, dans une structure de représentation, la plus sûre atteinte de la situation gratifiante, où le sujet devient apte à se sentir contenu, sans y voir une transgression, une contrainte ou une illusion hallucinatoire.

Ainsi, la recherche d'une représentation symbolique (de mot ou de chose) gratifiante devient chez Mélanie Klein la source de toute activité de pensée. Et c'est par le développement continu de la fonction symbolique, où se condensent expérience, connaissance et gratification, que s'édifie la relation du sujet à son monde interne, aux autres humains et à la réalité extérieure.

Qu'il s'agisse de création artistique, intellectuelle ou scientifique, il se produit cependant des «ratés» dans ce trajet, des fixations et des blocages, où ce qui satisfait les besoins émotifs du sujet correspond davantage à l'action de mécanismes de défense qu'à des structures contenantes liées à la «vérité» de l'expérience émotive. Cela provient de la complexité de la logique des émotions, qui particularise le monde des affects.

La logique des émotions

À partir de la structure observée par la psychanalyse chez les sujets humains, il apparaît que le dualisme plaisir-déplaisir ne peut s'appliquer tel quel, face aux sources de gratification. Il doit composer avec les besoins des diverses instances dans le sujet que constituent les pulsions biologiques, les instances d'interdiction du Surmoi, et cherchant un équilibre entre les deux, les fonctions du Moi. En d'autres mots, le Moi agit comme un intermédiaire qui tente de satisfaire aux pressions contradictoires de la pulsion et du Sur-moi.

Le plus souvent, le Moi se trouve dans des «situations affectives paradoxales», où comme l'exprimait Freud: «Ce qui produit du plaisir d'une part, produit du déplaisir d'autre part, et vice-versa[28].» Cette ambivalence résulte du *double-bind*, comme l'a nommé Bateson, ce système de «double contrainte», issu de la pression conjointe et antagoniste des pulsions biologiques et de celles du Sur-moi, vis-à-vis d'une même situation.

Du Moi sont exigées des conduites contradictoires: à la fois la satisfaction factuelle de la pulsion et la satisfaction procurée par la soumission aux interdits. La gratification biologique s'oppose ainsi à la bonne conscience morale servant à atténuer autant la culpabilité issue du Sur-moi que l'humiliation narcissique de ne pas répondre aux exigences de l'Idéal du Moi.

Le Moi résout ce «paradoxe pragmatique» engendré par ses conflits émotifs, en scindant les modes de représentation de chose et de mot et en leur assignant des fonctions contradictoires. Il procède «en réprimant de sa conscience la satisfaction factuelle et en ne reconnaissant que ce qu'il affirme verbalement[29]». C'est-à-dire que verbalement, le Moi satisfait le Sur-moi en se «disant» innocent et il en retire une gratification. Mais factuellement il réalisera la satisfaction de la pulsion, en produisant des «signifiants» de chose plus ou moins adéquats.

Comme l'expriment les psychanalystes Gear & Liendo, dans leur ouvrage sur *La sémiologie psychanalytique*[30], le succès de ces défenses face au conflit dépend naturellement des possibilités du Moi de dédoubler sa structure d'affects, en la symbolisant parallèlement avec des représentants de mot et de chose. Comme les deux hémisphères gauche et droit du cerveau, aux fonctions si différentes, les deux modes de représentation de mot et de chose jouent simultanément des rôles toujours nécessaires et opposés, mais destinés l'un et l'autre à procurer des affects agréables.

La sémiologie psychanalytique établit ainsi une nette distinction entre le contenu sémantique des signifiants verbaux (ou représentation de mot) et signifiants factuels (ou représentation de chose). Si l'on considère le domaine visuel, on reprendra dans les termes de Piera Aulagnier la différence entre des signifiants «idéiques» ou verbaux et des pictogrammes ou phantasmes. Le réseau des signifiants verbaux est aisément décelable dans le texte visuel, puisqu'il correspond aux figures iconiques, toujours identifiables à des mots. Quant au réseau des signifiants factuels, il se révèle par les positionnements spatiaux et leurs interrelations énergétiques. C'est le réseau le plus riche et le plus diversifié du langage visuel, le plus «vrai» sans doute, pour autant qu'il véhicule l'expression des conflits et des aspirations les plus profondes du sujet.

Ces deux réseaux permettent d'identifier les positions diverses, le plus souvent contradictoires, prises par le producteur vis-à-vis de son champ de représentation, ses visées particulières et les différents énoncés qu'il oppose les uns aux autres. Leur mise au jour est le but de l'analyse sémiologique des œuvres visuelles.

Comme nous l'avons vu, ces représentations de mot ou de chose sont toujours associés, selon Gear & Liendo, à des «signifiants d'affects», c'est-à-dire des regroupements sémiotiques particuliers, qui révèlent la qualité agréable ou désagréable que le locuteur leur attribue dans son propre univers. Ces signifiants d'affects relèvent de façon explicite de la relation de contenance expliquée ci-haut, aisément détectable dans un texte visuel par la production de relations topologiques de voisinage, d'enveloppement ou de rythmique continue.

La fascination propre à la fonction esthétique, dans quelque médium que ce soit, réside sans doute dans l'importance qu'elle accorde au déploiement des représentations factuelles et non verbales, en une résistance aux discours verbaux qui tentent dans nos cultures, mais vainement, de les évacuer. Les pulsions profondes peuvent plus aisément s'y réaliser, même au prix d'une division et d'une méconnaissance du sujet sur lui-même qui ne lui évitent cependant ni frustrations ni culpabilités ni tensions constantes.

En permettant de réintroduire la fonction du «sujet» dans l'énoncé visuel, la sémiologie visuelle et la sémiologie psychanalytique ouvrent la voie à une esthétique renouvelée, plus assurée de ses fondements et de la multiplicité de ses voies. Mais elles confirment encore plus radicalement l'importance de la fonction symbolique qui se réalise dans l'activité artistique, où se conjuguent, sous l'emprise continue des affects, des conduites verbales et factuelles qui moulent le sort des individus et éventuellement celui de l'espèce humaine.

Notes

1 G. Morpurgo-Tagliabue, *L'esthétique contemporaine*, Milan, Marzorati, 1960, p. 164.

2 E. T. Gendlin, *Experiencing and the Creation of Meaning*, Toronto, Collier-Macmillan, The Free Press of Glencoe, 1962, p. 3.

3 F. Nietzsche, *Humain, trop humain*, Paris, Gallimard, 1988, tome 1, p. 34-35.

4 F. Nietzsche, *Ibid*, p. 34-35.

5 W. R. Bion, *L'attention et l'interprétation*, Paris, Payot, 1974, p. 73.

6 J. O. Wisdom, *The Unconscious Origin of Berkeley's Philosophy*, Londres, Hogarth Press, 1953.

7 B. Lemaire, «Le savoir absolu comme réalisation de soi dans la philosophie de Hegel», *Études freudiennes*, Paris, Denoël, 1969, p. 248-283.

8 F. Regnault, *Dieu est inconscient: études lacaniennes autour de saint Thomas d'Aquin*, Paris, Navarin, 1985.

9 F. Nietzsche, *Ibid.*, p. 99.

10 L. Wittgenstein, *Carnets 1914-1916*, Paris, Gallimard, 1971, p. 20-21; 10.

11 W. Benjamin, *Essais II*, Paris, Gonthier, Médiations, 1983, p. 200.

12 S. Freud, *Ma vie et la psychanalyse*, Paris, Gallimard, 1950, p.72.

13 P. Aulagnier, *La violence de l'interprétation*, Paris, P.U.F., 1975, p. 43.

14 J. Piaget, *La construction du réel*, Genève, Delachaux & Niestlé, 1948.

15 P. Aulagnier, *Ibid.*, p. 48.

16 P. Aulagnier, *Ibid.*, p. 47.

17 P. Aulagnier, *Ibid.*, p. 52.

18 P. Aulagnier, *Ibid.*, p. 69.

19 P. Aulagnier, *L'apprenti-historien et le maître-sorcier*, Paris, P.U.F., 1984, p. 216.

20 H. Segal, «A psycho-analytical approach to aesthetics», *New Directions in Psychoanalysis*, Londres, éd. M. Klein, 1952, p. 204.

21 R.M. Rilke, cité dans H. Segal, «A psycho-analytical approach to aesthetics», *Ibid.*, p. 206.

22 Cf. F. Saint-Martin, «L'inscription du sujet thymique dans l'énonciation visuelle», *Discours social/Social Discourse*, 1989, vol. II, n° 1-2, Spring-Summer, p. 122-129.

23 F. Saint-Martin, *La Théorie de la Gestalt et l'art visuel*, Sillery, Presses de l'Université du Québec, 1990.

24 R. Waelder, «Psychoanalytic Avenues to Art», *Psychology and the Visual Arts*, James Hogg (éd.) 1969, p. 91-108.

25 Sami-Ali, *Le banal*, Paris, Gallimard, 1980.

26 M. Klein, *Essais de psychanalyse*, Paris, Gallimard, 1967, p. 265.

27 W. R. Bion, *Ibid.*, p. 90.

---

28 C. S. Gear & E. Liendo, *Sémiologie psychanalytique*, Paris, Minuit, 1975, p. 28.

29 C. S. Gear & E. Liendo, *Ibid.*, p. 21.

30 C. S. Gear & E. Liendo, *Ibid.*

Table des matières